一冊の手帳で夢は必ずかなう

なりたい自分になるシンプルな方法

熊谷正寿 GMOインターネット株式会社
代表取締役会長兼社長

かんき出版

はじめに

「手帳ぐらい私も使っているよ。スケジュール管理もバッチリだし、メモとしても大いに活用しているよ」

読者の中には、こうおっしゃる方もいるでしょう。

でも「スケジュール管理」や「メモ」としてだけ、手帳を利用されているとしたら、残念ながら、手帳の持つパワーのごく一部しか使っていないことになります。手帳を単なるビジネスツールと捉えているのなら、それはきわめてもったいない使い方です。

手帳は、人生をマネジメントし、夢をかなえてくれる強力なツールになるのです。

「一冊の手帳が、人の一生を左右する」

これは、決して大げさではありません。実際に私は、手帳に出会うことで、それまでの人生が一変しました。話は二十年前に遡ります。

当時二十一歳だった私は、自分なりに日々頑張っているつもりなのに、何かカラ回りしているような不安と毎日戦い続けていました。高校を中退して、十七歳から父親の仕事を手伝っていた私は、すでに結婚して、娘にも恵まれていました。しかし、朝から晩まで仕事に忙殺されている割にはお金も貯まらず、苦しい生活が続いていました。現状に手一杯で、自分の将来に対してまるでイメージが持てず、ただ浪費されていく人生に焦りを覚えていました。

「僕は、本当は何がしたいんだろう。どうしたいんだろう」

「このまま、日々をガムシャラに過ごしているだけでいいのだろうか」

「何か手を打たなくては――」

私はこの頃からかなりの数の本を読んでいました。とくに成功した人の体験記や記録などです。その多くには二つの共通したノウハウが書かれているように思えました。

一つは、目標を決める。

もう一つは、その目標を紙に書いたり口に出して、潜在意識化させる。

なるほど、と思った私は、考えた末にこう結論を出しました。

「行き先が決まっていなければ、どこに向かえばいいのか、どれくらい進めばいいのか、わからなくても当然だ。だからまず、人生の夢や目標を決めよう」

こうして、自分のやりたいことを長いスパンで考え、片っ端から文字に書き起こしていきました。頭の中で考えるだけではモヤモヤしてハッキリしなかった夢も、文字にすることで目に見えるカタチになり、自分自身に対する強力な応援メッセージに変身しました。これだけで、何だか胸がスーッとして、やる気が出てきました。

また、せっかくカタチにした夢も、放ったらかしにしておいたら、ただの落書きになってしまいます。この夢を一時たりとも忘れないようにするために、自分と一体化させておく必要がある。そう考え、手帳を利用することを思いつきました。

夢や目標を文字として書き残せ、肌身離さず持ち歩くことが可能な「手帳」は、自分の人生を自分の思い描くとおりに生きていく上で、大きな力になってくれると考えたからです。

さっそく、夢と、夢を達成するための計画を手帳に書き込みました。そして片時もその夢を忘れないように、手帳を、あたかも自分の身体の一部分のように、常に持ち歩きました。

手帳に夢を書いて持ち歩く。たったこれだけで、もう自分の夢を見失わないのです。

さて、その効果のほどはどうなのでしょう。当時の手帳には、たくさんの目標や夢が書き込んでありましたが、その中の一つはこうでした。

「三十五歳までに自分の会社を設立し、上場させる」

当時、この夢を聞いた周囲の人達は、その時の私の姿とあまりに現実離れしたこの夢とのギャップに驚き、笑いました。そんなことは、とうてい出来っこない、と。

しかしそれから十五年の間に、自分の会社ＧＭＯインターネット株式会社（以後、ＧＭＯ）を設立し、同社を店頭上場させたのは、三十五歳と一カ月後のことだったのです。一カ月の誤差はありましたが、皆から「出来っこない」といわれた夢が実現したのです。

「なぜあなたは、自分の夢をかなえることができたのですか？」

最近では、よく雑誌のインタビューなどでこう聞かれます。もちろん、その要因はたくさんあります。でも、あえてこう答えています。

「夢と、手帳があったからです。この二つ無しで、今の僕は考えられません」

そう答えると、ある人は「さぞかし特殊な手帳を、複雑な使用方法で用いるのだろう」と思われ、またある人は「夢をかなえる秘訣は、スケジュール管理にあるのか」と思われるかも知れません。

しかし、どちらも違います。ごく普通の手帳を、ごくシンプルに使うだけでいいのです。手帳は、確かにスケジュール管理にも大事な役目を果たしますが、それよりも「人生の管理」「生き方の管理」を手帳でしてしまう、とお考えいただいた方が良いでしょう。

そうなのです。本書は「上手な手帳の使い方」の本ではなく、「自分の夢をかなえ、なりたい自分になる」ための本なのです。そして、そのために必要なものは、たった一冊の「手帳」なのです。

まだまだ若輩者の私が、人生について助言するなど、大変おこがましく、大それた事であると思います。しかし出版社の強い薦めもあり、上梓を決意しました。

私のこれまでの体験が、読者の方々のヒントになることができれば幸いです。

熊谷正寿

一冊の手帳で夢は必ずかなう

目次

三つの手帳で、夢を現実にする

夢手帳　行動手帳　思考手帳

私の仕事術＆勉強術
「できる」人になるための十の秘訣

私の情報収集&情報整理術

三種の神器で情報の達人になる

私の時間創造術

時を味方につければ、仕事も人生もうまくいく

私の経営&マネジメントの極意
人と会社を成長させる十六のポイント

装丁 渡辺弘之
装画 染谷ユリ

手帳の使い方で人生が決まる

夢を実現するための手帳哲学

1 手帳に書いて持ち歩けば、その夢はかなう

私は「手帳オタク」です。常日頃から、愛用の手帳を肌身離さず持ち歩いています。これにはたくさんの理由があるので、あとで本書で順番にご紹介していきますが、一番大きな理由は、この一言に尽きます。

「自分の夢をかなえるため」

手帳と夢。この二つは、実は大変密接に関係しているのです。

だれでも、自分の夢を持っています。大きな夢、小さな夢、一生のうちにたくさんの夢を持つことでしょう。でも、その夢をかなえる具体的な方法はというと、漠然としか思いあたらないのではないでしょうか。気持ちだけあせって、いっこうに夢に近づくことができない、という経験はないでしょうか。

夢をかなえる方法の一つ、それは、手帳に書くことです。手帳に、自分の夢を書き込むのです。将来の目標、やりたいこと、人生の計画、すべて手帳に書き込むのです。そして、その手帳を常に持ち歩くのです。

この「常に持ち歩く」という点が、本当に重要です。

みなさんも、将来の夢や目標はたくさんお持ちだと思います。でもそれらは、漠然と頭の中だけにあるのではないでしょうか。自分の大切な夢を、いつ思い出し、いつ忘れ去ってしまうかわからない頭の中に漂わせておいて、その夢はかなうでしょうか。いつのまにか自分の夢が、小さくなったり、無くなったりしていませんか。

また、夢や目標を、立派な色紙に書かれている方がいるかも知れません。頭の中にしまっておくよりはいいでしょう。しかしその色紙は、今どこにありますか。デスクの前に貼ってあったり、神棚に乗っかって、埃をかぶっていませんか。

夢をかなえることは、容易ではありません。計画性と、常日頃からの努力が欠かせないはずです。ですから、「ふと思い出した時」や「机に座って、色紙が目に入った時」にだけその夢を追いかけようと思っても、それをかなえることはできません。

だから、手帳に夢を書き込むのです。そしてそれを、トイレに行く時も、お風呂に入る時も、片時も離さず持ち歩き、繰り返し読み返すのです。そうすれば、毎日・毎時間・毎分・毎秒、常に夢を見失わずに、そこへ向かって前進できます。

手帳は、夢実現の精度を高めるツールです。そして手帳は、接触頻度に応じて力を発揮します。手帳とともに大切な夢を、いつも肌身離さず持ち歩くことをすすめます。

2 手で書いた言葉には、意味と重みが出てくる

私はインターネット関連の事業に従事しているせいか、デジタルの世界にどっぷりつかって暮らしていると勘違いされることがよくあります。「手帳を愛用している」と言うと、「やっぱり、電子手帳ですか。それとも、パソコンでスケジュール管理しているんですか」といった具合に誤解されることがあります。

しかし、手帳は電子手帳ではなく紙のものを、筆記具はキーボードや電子ペンではなくシャープペンシルをすすめます。こと手帳にかけては、アナログの方が効率的です。

もちろんパソコンは、インターネットで情報を引き出したり、メールやチャットでコミュニケーションをとったり、エクセル（Excel）でチェックリストを作ったりと、便利に使っています。ただ、頭の整理をするには、現時点ではアナログのほうがまだ優れていると考えています。その理由は、おもに二つあります。

第一に、「手で書く」という作業には、自分の思いが強く文字に反映されます。言い

換えれば、文字を書く間に、その言葉に感情移入することができるのです。

たとえば「夢」という一文字を書く場合、手書きだと十三回の筆運びが必要ですから、書きあがった文字への愛着も増します。その分、頭には大切な言葉として残ります。

他方、キーボードならキーを二つまたは四つ打って「確定」キーを押すだけです。瞬時に「夢」という漢字が画面に現れます。非常にお手軽ではありますが、自分で書いたという実感が持てないのではないでしょうか。それに、あまりにインスタントなので、この文字に託した自分の思いまで軽く扱った気持ちになってしまいそうです。文字が頭を素通りするような気がします。

この気持ちは、手をかけた料理のほうが、レンジでチンした料理より、「作り手の思いが伝わる」のとちょっと似ているような気がします。

そもそも、何か大切なことを頭にインプットしたいとき、「書いて覚える」のは基本です。学校での勉強がそう。私たちは何度も何度も文字を書いて漢字や英単語を覚えたり、教科書からポイントを書き写して「ここが大事なんだぞ」と頭に叩き込んだり、文字を書くという作業を通して、自分の頭脳を成長させてきました。

人生への思いだって、「手で書く」行為によって増幅されると信じています。

3 読み返しがすぐできる手帳は、電子手帳に勝る

電子手帳を使わずに、紙媒体のアナログ手帳を使う理由はもう一つあります。それは、アナログ手帳は簡単に「読み返す」ことができるからです。

パラパラッとページをめくる。この作業は、パソコンや電子手帳にはできない芸当でしょう。パソコンだと、せっかく書いても、読み返す機会を失われた情報ばかりがたまっていき、結局は打ちっ放しになる可能性が高いのです。

つまり、パソコンのメモリーに何かを記憶させても、それを覚えているのはあくまで電脳だけで、自分の頭からは、記憶させたことも忘れてしまう恐れがあるのです。

その点、手帳に書いて持ち歩けば、いつでも目に触れるところに置いておくことができます。私は、大切なことを手帳に書くだけではなく、書いたことを何度も読み返すことを習慣にしています。それは、書きっ放しにしたくないからです。

暇があれば手帳のページをめくり、文字を読むごとに書いた時の思いを甦らせます。この繰り返しが、自分の頭脳にやるべきことを潜在意識化させ、実際の行動に結びつ

けるのに役立つと実感しています。

思ったことは手で書く。それを何度も読み返し、思いをより強くする。そういう強い思いがあれば、夢に向かうモチベーションが高まり、努力が促されます。結果、書いた通りの夢が実現するのです。

「なりたい自分」を書き、そのための行動プランを書くことが、思い通りの人生を創り出すと言っても過言ではないでしょう。

実際、私は自分で思いついた「やりたいことリスト」とそれを達成するための「未来年表」を、将来への思いを込めて手で書きました。その夢の実現のために必要な行動や、思考のヒントとなる人の言葉や文章を、手書きの文字で手帳に書き留めました。

そして、朝起きた時、ご飯を食べる時、移動の車の中、トイレの中、夜寝る前……暇さえあれば、手帳のページをめくって読み返します。そうすると、未来年表を達成することだけをひたすら考えて行動ができるので、そこに書いたとおりの人生を歩むことができるのです。

デジタル全盛のご時世ですが、手書き文字が連なる〝アナログ手帳〟には、とてつもない威力があることをお忘れなく。思い通りの人生は、思いを映す文字を手帳に書くことから始まるのです。

4 手帳という外部記憶に頼れば、頭の回転も速くなる

人と話をする時には必ず手帳を広げることをすすめます。というのも、人間の記憶力は、実はたいしたことがないからです。みなさんは、昨日聞いたことを、正確に思い出すことができますか。また、自分の都合のいいように記憶してしまうこともあります。だから、紙に書くことが大切なのです。人の話を聞く時に手帳を広げてメモを取らない人は、よっぽどの記憶の天才か、問題意識の少ない人なのでしょう。

また、手帳に書いておくと、自分の考えや哲学がブレません。自分に対しても他人に対しても、何年でもずっと同じことを言い続けることができます。

というと「頭の固い頑固者」と思われるかもしれませんが、そうではありません。時には、朝令暮改もあります。しかし自分の発言を忘れてしまっている朝令暮改と、自分の考えを覚えている朝令暮改では、その重みや意味が異なるというものです。

また、手帳にメモしたことは安心して忘れられるので、その分、今大事なことに使える脳の領域が広がります。コンピュータにたとえると、本体のメモリーに記憶させ

たことをフロッピーディスクやMO、フラッシュメモリーカードに保存する感覚です。コンピュータは、メモリーの容量が軽くなると働きがよくなります。人間の脳も記憶しておかなければならないことが少ないほうが、よく働くのではないでしょうか。

以前、私の知り合いが、

「やけに昔のことを覚えている友人がいる。彼はきっと、頭が暇なんだろう。私は日々、たくさんの人に会って新しい情報が脳にインプットされるから、前の記憶はどんどん自然淘汰される。昨日、上司に言われた仕事も忘れちゃうくらいだよ」

と自慢げに言っていました。こういう話を聞くと、私は首を傾げてしまいます。手帳を使って、脳の中にある情報を交通整理すればいいのに、と思うからです。記憶に限界があることを知りながら、なおも記憶に頼るのは危険だと思いませんか。

たくさんの情報が脳にインプットされるのはけっこうですが、そのために昨日言われたことも忘れるようでは、情報の価値も無に帰してしまいます。頭にためずに手帳に吐き出すほうが、ずっと生産的でしょう。

こう考えると、手帳はもはや、その人の脳の一部と言えるでしょう。その自分の脳の一部を自宅や会社の机に置き忘れることなど、とうてい考えられません。

5 手帳は、バイブルサイズに限る

手帳と一口に言っても、その種類はさまざまです。メモ帳のような小さなものから、ノートサイズの大きなものまで、大きさも素材もいろいろあります。

読者の方の中には、

「書ければいいんだから、どんな手帳でも同じでしょう」

とお考えの人もいるでしょう。しかし、せっかくあなたの人生のパートナーにするのだから、手帳そのものにもこだわりたいものです。

私は、人生を管理するツールとして手帳を使うことを思いついた時に、

「自分の将来に関わるすべての情報を、一冊の手帳にインプットして持ち歩こう。常にメモを書き加えたり、参照したりしつつ、それに則った行動をしよう」

と決心しました。そしてさまざまな本を読み、「情報をいかに効率よく整理するか」を研究しました。もちろん、「手帳術」なるテーマの本もたくさん読みました。

その結果、三種類の手帳を使う方法を考えました。「なりたい自分」を綴った「夢手

帳」と、思い通りの未来を実現すべく行動を管理する「行動手帳」、行動や思考のポイントを整理してまとめた「思考手帳」の、三部構成から成る「熊谷オリジナル手帳」です。

ただ、これら三部構成の手帳を一冊の手帳にまとめるとなると、それなりのサイズを確保する必要があります。当初私は、ＳＤ（System Diary）手帳を使っていました。これはマスコミの人が愛用していることで知られる手帳です。持っているとかっこいい、そんなあこがれから購入したように記憶しています。

日々の予定を書いたり、ミーティングや商談の内容を記載したり、行動する中で気づいたことをちょこちょことメモするだけなら、このＳＤ手帳で用は足りていました。でも、「夢手帳」「行動手帳」「思考手帳」の三種類の手帳をまとめるとなると、ＳＤ手帳では物足りない感じがしました。書くスペースが小さく、綴じこむページ数にも限りがあるからです。

夢が増えれば、その実現に向かう行動も多彩になります。しかも、スクラップしたい情報は日ごと、厚みを増します。小さくて薄い手帳だと、すぐに容量をオーバーしてしまうのです。

逆に、大きすぎる手帳でも困ります。Ａ４版やＢ５版の手帳では、持ち歩くのが面倒になり、そのうちデスクに置いたままになりそうです。そうなると、中身はいつまでたっても更新されず、メモを参照して行動を戒めることもできません。手帳が機能しなくなる危険があると思いました。先ほども述べましたが、手帳は接触頻度に応じてその力を発揮するからです。

そして落ち着いたのが、私が今使っている、バインダー式でバイブルサイズのファイロファクス社製システム手帳です。その第一の理由は、持ち歩くのにちょうどいい大きさだということです。さすがに人類史上最大のベストセラーである聖書のサイズだけあって、持ち運びは苦になりません。

逆にバイブルサイズより小さくなると、書き込める内容があまりに少なくなってしまいます。後でご紹介しますが、私は手帳にメモを書くときに、一件一リフィルを原則にしています。そのためには、バイブルサイズ程度の大きさでないと、一リフィルに収まりません。

また、私はパワーポイント(Power Point)などのパソコンソフトで作成した資料を縮小コピーして手帳に貼り付けたりしますが、縮小コピーで見るに耐える大きさとしては、やはりこのバイブルサイズが限度だと思います。

バインダー形式なので、ページをどんどん増やしていったり、逆に過去になった部分をはずして別にファイリングしたりなど、使い勝手がいいことも魅力的です。いま必要な、手元で常に参照したい夢や情報のキットとして、非常によくできたツールだと感心するほどです。

もっとも、いかにバイブルサイズでも、放っておくとどこまでも膨れ上がってしまうので、今は仕事中の利用頻度が低い情報は別々の手帳に収納して、デスクや自宅で活用するにとどめ、持ち歩くページをある程度、取捨選択しています。

それでも私の手帳はパンパンに肥え太り、セカンドバッグと見紛うほどです。空港などではしょっちゅう、「バッグの中を見せてください」と言われています。

手帳が厚いのはポジティブなことです。夢や目標があるから「夢手帳」「行動手帳」「思考手帳」が厚くなるのだし、問題意識や向上心があるからメモを書くリフィルも増えるのです。手帳が厚いということは、それだけ手帳の持ち主の思いも「厚い」し「熱い」ということなのです。

なお、ファイロファクス社製の手帳の革は、手帳の肥大化に合わせるようにして少し伸びます。そのことも、この手帳の長所かもしれません。

夢がなければ夢をかなえることはできない

夢・人生ピラミッドと未来年表を作ろう

1 夢をカタチにすることが、夢への第一歩

さて、さっそく手帳の使い方をご紹介したいところですが、その前に、大事な作業があります。手帳を使って夢や人生をマネジメントするには、まず自分の「夢」や「人生の目標」をカタチにしなければいけません。当たり前のことですね。夢をハッキリさせないで手帳を持っても、「仏作って魂入れず」になるからです。

そこで、まずは自分の「夢」「目標」「やりたいこと」を長いスパンで考えて、それらを「やりたいことリスト」として書き出してみましょう。「やりたいことを書き出す」と言っても、そう簡単には出てこないかもしれません。最初は難渋するかもしれません。しかし、夢を意識するようになると、日常のさまざまなシーンで「これもやりたい、あれもやりたい」というものにぶつかるようになります。

たとえば、人と会ってお酒を飲んでいる時に「この人みたいになりたい」という願望を抱いたり、雑誌を読んでいて「こういう車に乗りたい。こんな服装をしたい」と憧れたり、テレビの旅番組を見ていて「こんな旅館に泊まってみたい」と思ったり。

そういう何でもないことが頭にひっかかり、夢と結びついていくのです。

そのたびにメモをして、「やりたいことリスト」に書き足していくのです。たとえば、

「何かの分野で、ナンバーワンの青年実業家になりたい」

「一流のレストランに行って、一流の扱いがされるような人物になりたい」

「日常会話に不自由しない程度の英会話能力を身につけたい」

「家族の笑顔を増やせるダンナに、いつも笑顔でいられるステキなパパになりたい」

「体重を七十キロまで落としたい」

というようなことです。他人がこれらのリストを見たら「夢みたいなことを言って」と笑うかもしれません。でもこれは、人に見せるためのリストではありません。その人がどんな夢を抱こうと、個人の自由です。人がどう思うかは関係ないのです。

夢を持つことに関して、大半の人は「分相応の夢かどうか」を考えて立ち止まってしまうかもしれません。でも、それは無意味です。人の「分」というものは、夢に向かって努力するからこそ向上するのであって、夢を限定する物差しではないのです。

「やりたいことリスト」を作るときは、誰に見せるわけでもありませんから、「分」など考えずに自由に発想することが重要です。現実と乖離しているからこそ夢であり、その乖離を埋めるところに生きる喜びが存在するはずです。

2 「明日死ぬ」と思うと、やりたいことが山ほど出てくる

「やりたいことリスト」を作って夢に向かう話をすると、よく「やりたいことがそうポンポンと出てこない」とか「実現しそうもない夢を考えたって、むなしいだけじゃないか」などと言って嘆く人がいます。それでいて「なりたい自分になりたくない」わけではありません。いえ、百人いたら百人が「なりたい自分になりたい」という思いを抱いているはずです。

ならば、行動する前に夢をあきらめるのはいかがなものでしょうか。夢をアタマから締め出した時点でもう、夢に向かう行動力が奪われてしまわないとも限りません。

そういう人へのアドバイスとして、「もし、明日死ぬとしたら、何をしたい?」と自らに問いかけることをおすすめします。あるいは、「明日死ぬとわかったら、何をしておきたかったなぁと後悔する?」とか「もし生まれ変わったら、来世は何をしたい?」という問いかけでもいいでしょう。ようするに、「やりたいこと」が出てきやすい質問をすればいいのです。

そして、時間やお金、現在の自分の能力などは思慮の外に置き、ゼロから自分の理想とする人生を考え、書き出してみるのです。そうすれば、人間誰しも、軽く十や二十くらいの「やりたいこと」が出てくるものです。

「フェラーリのオーナーになりたい」
「自分のホームページをネットに公開したい」
「営業成績で全国トップテン入りを果たしたい」
「字幕スーパーがなくても、アメリカ映画が楽しめるようになりたい」
「株で一財産成して、事業を興したい」
「ゴルフのシングルプレイヤーになりたい」
「小説を書いてみたい」
「もう一度、大学へ行き、専門分野の勉強をしたい」
「二世帯住宅を建てたい」
「定年後は故郷へ帰り、田舎暮らしを楽しみたい」

夢に小さいも大きいもないのですから、何だっていいのです。

頭の中に漠然とある、それでいて行き場を失っている夢たちを、洗いざらい紙に書き出すことが、一番のポイントだといえるでしょう。

3 人は、夢で描いた自分の姿以上にはなれない

夢や、やりたいことを紙に書き出しやすくなるヒントを、もうひとつご紹介しましょう。それは、なぜ夢が人にとって大切なのかを、もう一度考えてみることです。夢がどうして大切なのか。それは、人は夢で描いた自分の姿以上にはなれないからです。

たとえばオリンピックの金メダリストのことを思いだしてください。彼らは、絶対に金メダルをとるんだという明確な夢を持っていたはずです。何となく練習して何となく参加して、気がついたらメダルをとっていました、という人はいません。金メダリストは、それを手に入れたいと強烈に夢に描いている人の中から出てくるのです。

人生でも同じです。「まあ貧乏はいやだけど、食べていけるくらいお金があればいいか」という程度の夢しか描けなければ、どんなに頑張ってもその夢程度の結果しかかなえることはできません。

そんなことといっても、どんな夢を思い浮かべればいいのかまだわからないと思われる方もいるでしょう。それならば、ぜひいろんな人と交流することをおすすめします。

憧れの人がいるなら、その人の生活や思想、世界観を観察しましょう。実際私も、多くの方々とお会いすることで、さまざまな夢を持ち、膨らませることができました。

そして、そこで発見した夢ややりたいことを、「やりたいことリスト」に書くのです。「やりたいことリスト」を作るメリットの一つは、作るだけで気持ちが落ち着くことです。実際にリストを作ってみるとわかりますが、項目を書き連ねていくにつれて、自分の中から不思議と苦しい現状が消えていきます。胸がスーッとします。私自身もリストを作っている最中に、

「僕には、お金も時間も学歴もない。今は苦しい。でも、こんなにたくさんの夢があるではないか」

という思いを強くし、やる気が満ち満ちてくるのを実感したことを覚えています。

いかに現実が苦しくても、人は夢を持つことでその苦しさから救われるものなのです。不思議なもので、具体的に文字にすると、夢が〝居所〟を得るせいか、気分が落ち着いてきます。

「僕には、こういう夢があったんだな」

と再認識し、夢に近づく努力をしようという元気もわいてきます。

4 「夢・人生ピラミッド」のすべてを埋める「全人」を目指す

次に、「やりたいことリスト」でリストアップした夢を、「夢・人生ピラミッド」の各セクションに振り分けます。セクションは、「健康」「教養・知識」「心・精神」「社会・仕事」「プライベート・家庭」「経済・モノ・お金」の六つです。「夢・人生ピラミッド」とは、これらのセクションを左の図のように三段に分割し、「基礎レベル」「実現レベル」「結果レベル」に分けたものです。

私の場合は、二十代で「基礎レベル」の夢を達成しようと考えました。その一番柱となるのが「健康」で、あと二つの課題が「教養・知識」と「心・精神」です。「実現レベル」には「プライベート・家庭」と「社会・仕事」、「結果レベル」には「経済・モノ・お金」があります。つまりこのピラミッドは、

「何よりも大切なのは健康です。次に、さまざまな分野の専門家とお話ができるような教養を持つことと、曇りのない強く開かれた心を持つことが必要です。この三つの基本的なセクションで夢が達成できれば、自ずと仕事と家庭の夢は実現するし、結果

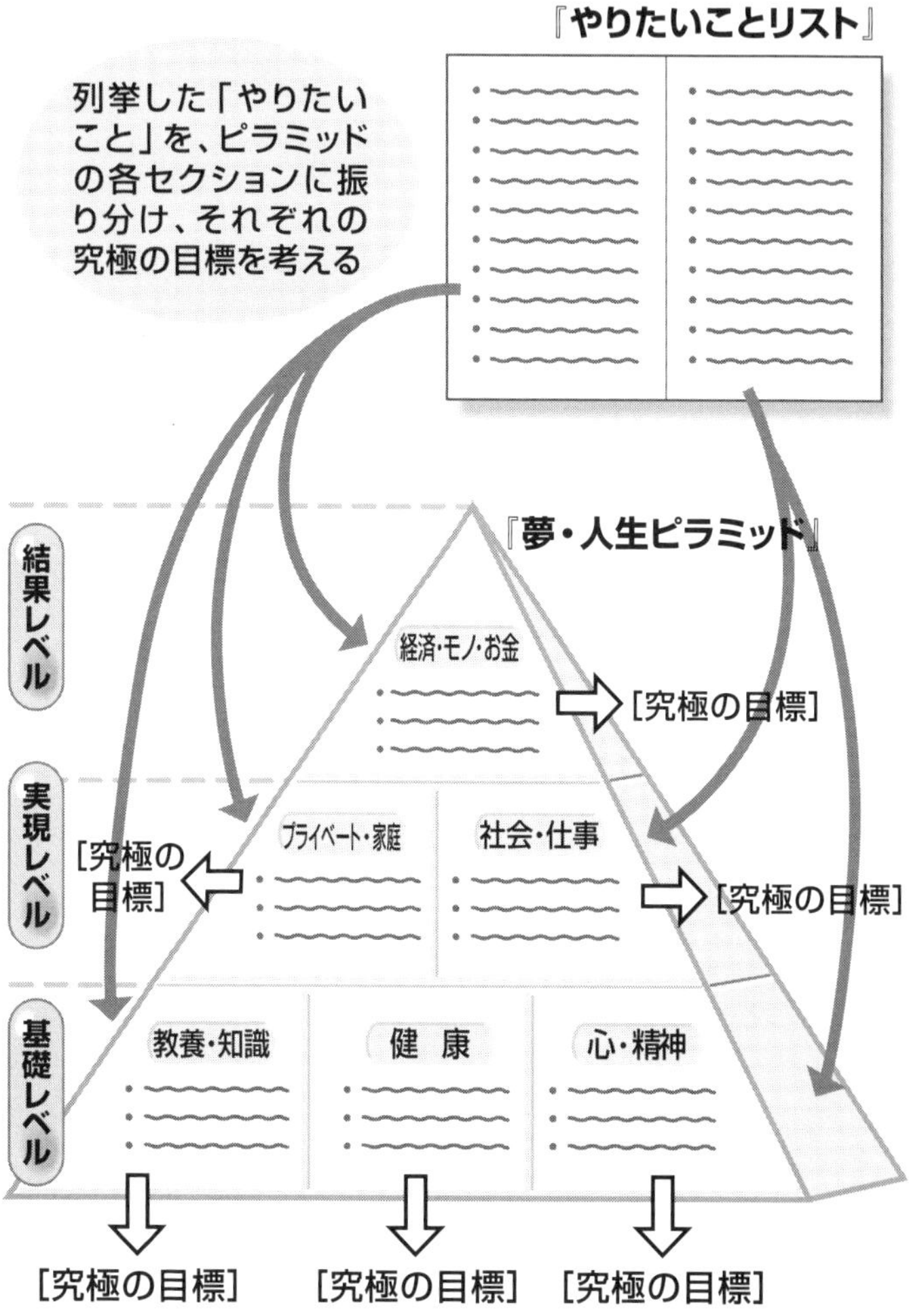
『やりたいことリスト』
列挙した「やりたいこと」を、ピラミッドの各セクションに振り分け、それぞれの究極の目標を考える
『夢・人生ピラミッド』
結果レベル
実現レベル
基礎レベル
経済・モノ・お金
[究極の目標]
プライベート・家庭
社会・仕事
[究極の目標]
[究極の目標]
教養・知識
健　康
心・精神
[究極の目標]
[究極の目標]
[究極の目標]

的に経済的な豊かさにも恵まれます」ということを表したものです。また、それぞれの項目の「究極の目標」としては、たとえば

「健康」

……死ぬまで医者にかからず、現役を続けたい。

「教養・知識」

……外国人や有名人など、自分とは縁が遠い人たちとも交流できる教養を身につけたい。

「心・精神」

……誰からも好かれる人間（心）になりたい。

「社会・仕事」

……自分のビジネススキルや人脈を活かして、自分の会社を経営したい。

「プライベート・家庭」

……快適で、笑顔の絶えない家庭を築きたい。

「経済・モノ・お金」

……老後に、何の心配もなく豊かに暮らせる経済力を蓄えたい。

といった目標でもいいでしょう。

どうして、このように六つに分類するのか。それは、夢をかなえたいのなら、このピラミッドを歪みも偏重もなく完璧なカタチで実現するオールマイティな人間にならなければならないからです。

仮に「大金を手に入れたい」という目標を立てたとしましょう。でもそのままだと、人を騙したり、どんな悪いことをしてでも、大金を手に入れようという考えが生まれてくるかもしれません。そこまでいかなくても、仕事中毒の人間になって家庭を顧みず、大金は手に入れたものの、家族を犠牲にしてしまうなんてことがあっては、本末転倒です。

私を含めて誰もが、成功とお金を手にしたいと願っているでしょう。ですが、欲に支配されると道を誤ります。「夢を達成した結果、手に入れる」のが成功であり、お金であるという「幸せの前提」を忘れてはいけません。

夢・人生ピラミッドの六つの項目すべてを満たした人を、「全人」と考えています。ぜひこの「全人」を目指したいと願っています。

【夢・人生ピラミッドの作成例】

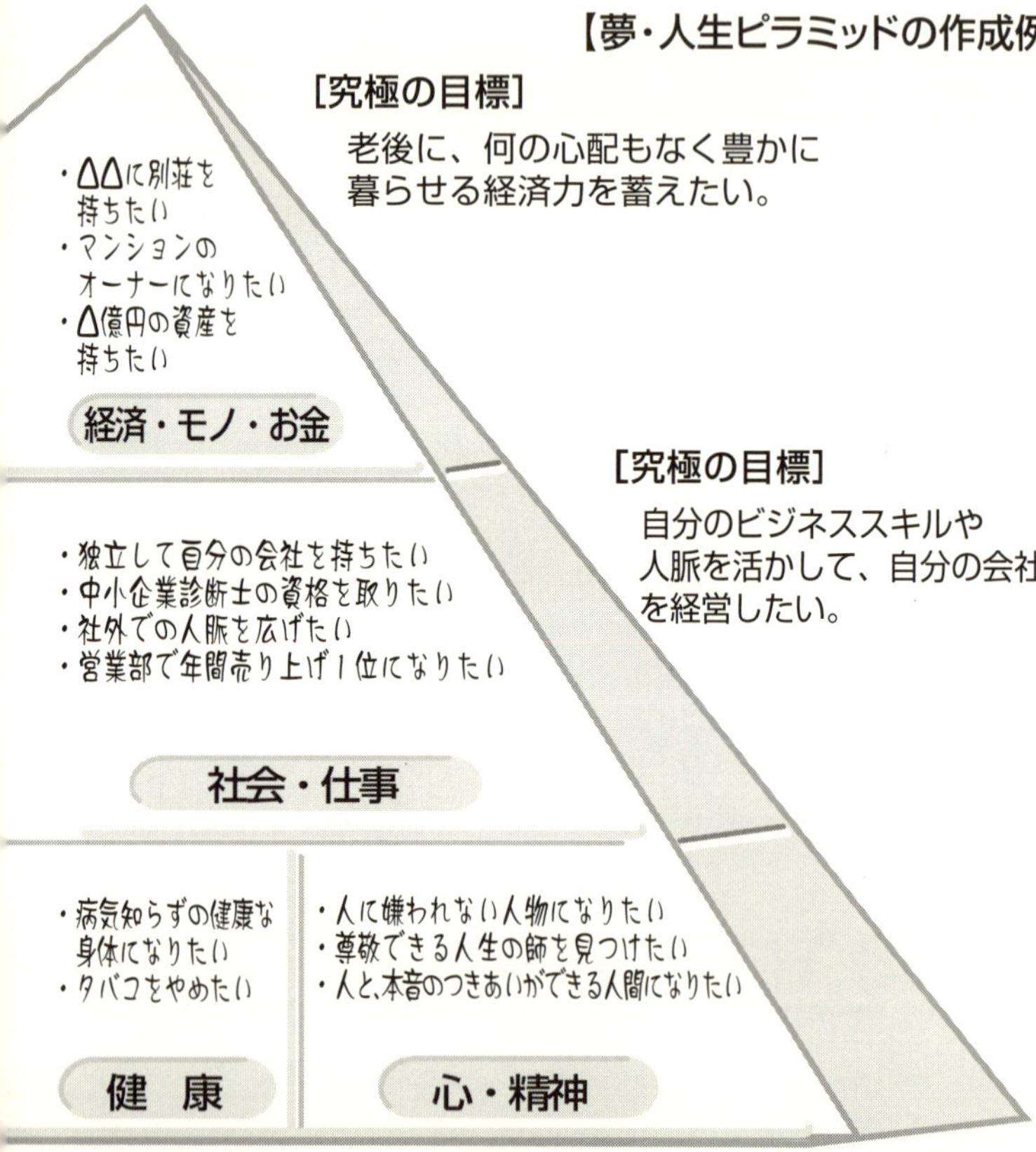
[究極の目標]
老後に、何の心配もなく豊かに暮らせる経済力を蓄えたい。
・△△に別荘を持ちたい
・マンションのオーナーになりたい
・△億円の資産を持ちたい
経済・モノ・お金
[究極の目標]
自分のビジネススキルや人脈を活かして、自分の会社を経営したい。
・独立して自分の会社を持ちたい
・中小企業診断士の資格を取りたい
・社外での人脈を広げたい
・営業部で年間売り上げ1位になりたい
社会・仕事
・病気知らずの健康な身体になりたい
・タバコをやめたい
健　康
・人に嫌われない人物になりたい
・尊敬できる人生の師を見つけたい
・人と、本音のつきあいができる人間になりたい
心・精神

[究極の目標]
死ぬまで医者にかからず、現役を続けたい。

[究極の目標]
誰からも好かれる人間（心）になりたい。

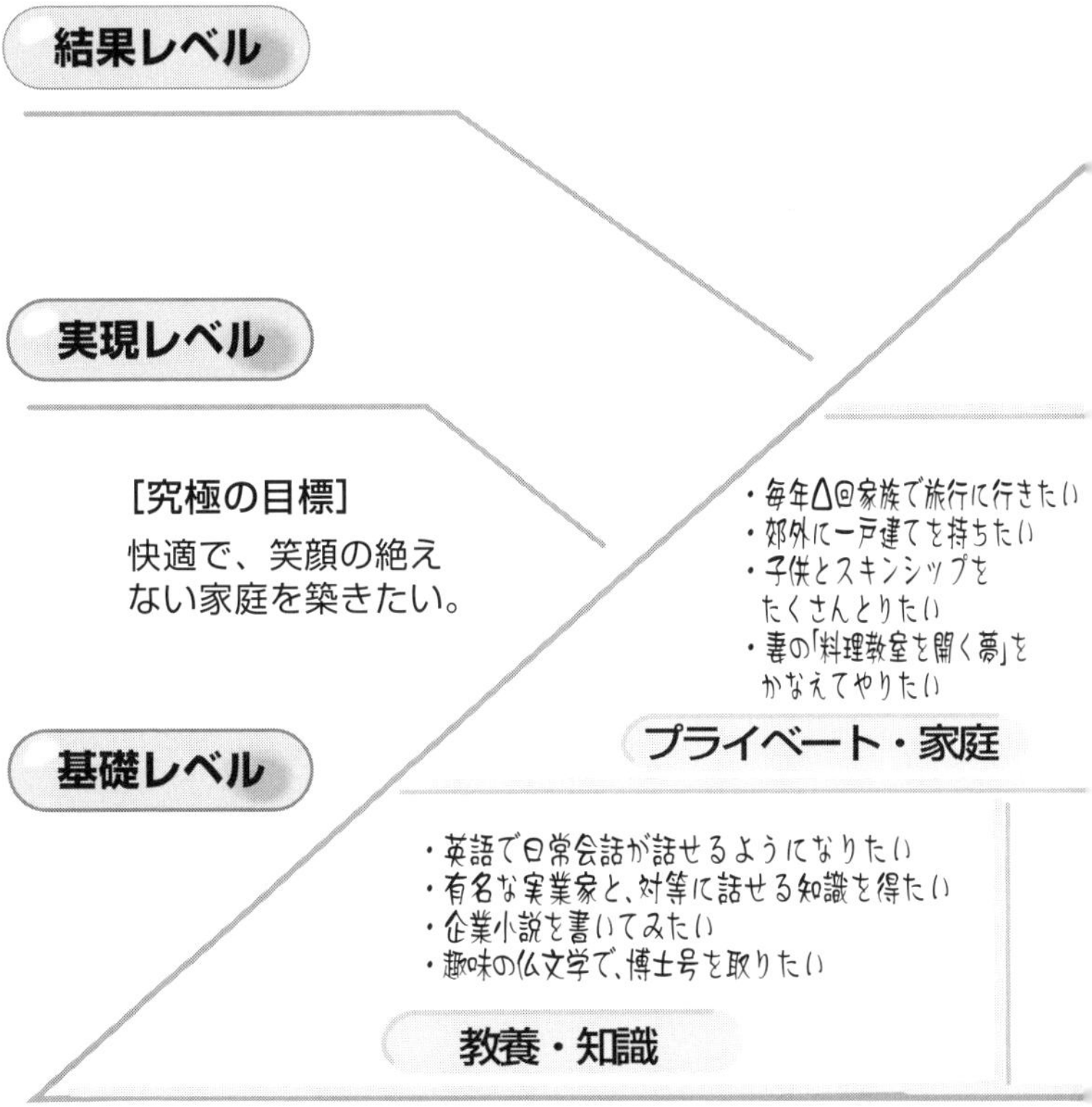
結果レベル
実現レベル
[究極の目標]
快適で、笑顔の絶えない家庭を築きたい。
・毎年△回家族で旅行に行きたい
・郊外に一戸建てを持ちたい
・子供とスキンシップをたくさんとりたい
・妻の「料理教室を開く夢」をかなえてやりたい
プライベート・家庭
基礎レベル
・英語で日常会話が話せるようになりたい
・有名な実業家と、対等に話せる知識を得たい
・企業小説を書いてみたい
・趣味の仏文学で、博士号を取りたい
教養・知識

[究極の目標]

外国人や有名人など、自分とは縁が遠い人とも交流できる教養を身につけたい。

5 人生という旅の計画書「未来年表」を書いてみる

「夢・人生ピラミッド」が完成したら、次は、それをもとに「未来年表」を作ります。「未来年表」は、なりたい自分になり、思い通りの人生を歩むためのツールです。ゴールを決めて走りだすうえで、必要不可欠のツールです。

私が二十歳の時に作った未来年表は、十五年先までを想定した「十五年年表」でした。

「今月の計画も立てられないのに、そんな先までの計画なんて立てられっこない。だいたい、そんな計画を立てるために時間を割いていられない」

と思った人もいるでしょう。明言しますが、十五年分の「未来年表」を作成するのにかかる時間は、二〜三日もあれば十分です。最初は膨大な作業のように思えても、やり始めると、けっこう気持ちが乗ってきます。しだいに年表のマス目を埋めていくのが楽しくなり、ぐいぐい書けることは、私が保証します。

これら一連の作業は、旅行の計画を立てるのに似ています。たとえば、あこがれのスペインに旅行するとしたら、あなたはきっと、ガイドブックやスペインについて書かれた本を読んで研究したうえで、「やりたいことリスト」を書き出すでしょう。「闘牛を見たい。フラメンコを見たい。パエリヤと生ハムも食べたい。アルハンブラ宮殿まで行きたい。ドン・キホーテの道を歩きたい。ガウディの世界に浸りたい」といった具合に一つひとつの項目に優先順位をつけて、旅行期間の中で「いつ、何をするか」を決めていくと、旅への気持ちが高揚してきます。それと同様に、「未来年表」を作っていると、今後の人生を生きるのがとても楽しみになってきます。

人によっては将来、年表に書いたやりたいことの達成時期に誤差が生じたり、やりたいことが変わってしまう可能性もあります。でも、未来年表を作るにあたっては、そのあたりは柔軟に構えて、現時点で思い描く夢に素直に従って書きましょう。

私自身、やりたいことが途中で変わったこともあります。プライベートジェットを持ちたい、という夢があるのですが、未来年表を作った時には、そのために「まずはパイロットの免許を取ろう」と考え、そのように年表に書き込んだものです。でも時間がたつにつれて、はたしてプライベートジェットを持ちたいからといって、自分で免許を取る必要があるのだろうかと考えるようになりました。だから今は、「パイロット免許を取る」ことは、やりたいことリストの中には入っていません。

また、人間はロボットではないので、達成時期に誤差が生まれることもあります。でも「このとおりにはいかないんだから、年表なんて作ってもしょうがない」とは思わないでください。仮に予定が一年遅れても、くよくよする必要はありません。八十年はあろうかという長い人生において、一年の遅れなんて誤差のうち、あとで取り戻せばいいだけの話です。ポジティブに考えて、夢を追い続ける姿勢が大切なのです。

さて、具体的な「未来年表」の作り方をご紹介しましょう。

未来年表のフォーマットでは、縦軸の一番上に、家族の年齢などの基本データを置きます。次に、「健康」、「知識・教養」「心・精神」「社会・仕事」「プライベート・家庭」「経済・モノ・お金」の六セクションを並べ、一番下には、社会が今後どうなるのかという予測を、新聞などの記事を参考に書き込みます。

横軸には、「今」、「将来」、「差」と「年齢」の項目を配置します。「年齢」の項目は、十五年計画なら十五個、二十年計画なら二十個のマス目が必要です。年数が多くなるほど書くスペースが小さくなりますが、この表は大局をつかむためのものなので、キーワードだけを記せば十分です。

フォーマットができたら、次はそのマス目を埋めていきます。まず先ほどの「夢・人生ピラミッド」の六つのセクションに収まっている夢や目標の、各セクション内での優先順位を考えます。そして順位の高いものから、夢の一つひとつに対して、「将来」欄に生涯ゴールを書き出していきます。

次に、その横の「今」の欄に、現状を正直に書きます。そして、現状とのギャップを「差」の欄に記入し、そのギャップを正しく認識します。

そして最後に、夢や目標を実現するためには「いつまでに何をすればいいか」を考え、年数分のステップに分けて、毎年の目標を設定します。何年間で達成するという期限を決めたものについては、ゴールとなる年齢欄にもその目標を書いていきます。

これは、本当に大雑把なものでかまいません。大変な作業だと思うかもしれませんが、やってみると意外に楽しいものです。年表の縦軸にジャンル別に夢の項目を書き出し、横軸の年齢欄にゴールから逆算しながら年間目標を記載していく、たったそれだけの作業でOKなのです。

たとえば「六年後に会社を興す」という夢があるのなら、縦軸の「社会・仕事」の「将来」の欄には、

「相談相手やビジネスパートナーとなる人脈が十人いる」
「会社の設立資金、五百万円を貯める」
「起業できる知識が身についている」

といった目標が考えられるでしょう。そして「相談相手やビジネスパートナーとなる人脈が十人いる」という将来の目標が立ったなら、次に「今」と「差」を考えます。

「今→役に立ってくれそうな人脈が二人しかいない」

「差→八人の人脈」

といった感じになります。こうなれば、「毎月、人脈交流会に出席しよう」とか「法曹界の人に、最低十人に会って話をしよう」という計画が立てられます。

また、「会社の設立資金、五百万円を貯める」欄の横軸には、

「今→貯蓄額五十万円」

「差→貯蓄額四百五十万円」

といった具合に書き込むことができ、さらに「二年後に二百万円」「四年後に三百五十万円」といった具合に、何歳までにいくら貯めるのかも書き込めるでしょう。

「起業できる知識が身についている」という目標も同様に、「今」と「差」を考えます。知識が身についているかどうかは「差」としては書きにくいかも知れません。こんな時は、無理に書こうと頭を悩ませる必要はありません。将来欄の目標を達成するために、「どういう本を何冊読もう」といった計画が立てられれば、それでＯＫです。

また、この未来年表を作成している時に、新たに夢や目標が生まれることもありま

す。たとえば、「会社の設立資金、五百万円を貯める」という目標を立てたものの、給料をコツコツ貯金しても、この目標額は達成できないとわかったとしましょう。この時、目標の達成年月を後にずらしたり、目標額を小さくするという選択肢もあるでしょうが、その目標を達成するための「新しい目標」を作るという選択肢もあります。

給料だけでは資金が貯まらないのなら、株式投資による資産運用で、不足分を補うという方法もあります。しかし、経験ゼロの人が、いきなり株でお金を増やすことなどできません。そうなると、

「運用利回り　年五%以上の株の個人投資家になる」

という新しい目標が生まれるのです。「今→株の売買さえしたことがない素人」なら、上手に運用できるようになるためには、経済を勉強しなければなりません。貯蓄と並行させて、投資家デビューを睨んだ勉強計画を練ることになります。

年表に書く年ごとの目標は、本当に大雑把なもので構いません。ですから、作成はさほど難しい作業ではないでしょう。その目標がそのまま、年間目標になるのです。

この、自分の夢や目標を年間目標に落とし込む作業を、同じように毎月、毎週、毎日ベースに落とし込んでいくと、後に紹介する「行動手帳」ができあがります。

【未来年表の作成例】

	27歳	28歳	29歳	30歳	31歳	32歳	33歳	34歳	
		第二子？			30歳				
				10歳		中学校入学			
		55歳					定年退職		
				55歳					
	71kg	69kg							
	450点	500点	550点	600点	650点	700点			
	文章教室	執筆活動＆出版社へ持ち込み			デビュー！				
	マナーの特訓	話術を学ぶ	多くの人と会う	人に好かれる人間！					
	人生の師を発見								
	資金運用（利回り10%）		銀行から資金調達	会社設立					
	法律の勉強	会計の勉強	設立準備						
	パートナー選び・交渉	組織確定							
		頭金1000万円（購入）	ローン残高3000万円	2800万円	2600万円	2400万円	2200万円	2000万円	
				不動産投資の勉強	宅建資格取得		種銭作り		
	875万円	1000万円 ↓ 住宅の頭金	150万円	300万円 ↓ 会社設立	100万円	200万円	300万円	400万円	
	NK03.1.4 商法改正			NS03.5.21 住宅過多			N.02.9.13 人口ピーク	NR03.3.5 新流通網	

	究極の目標	将来	今	差	25歳	26歳
家族・環境	妻					25歳
	長男					小学校入学
	父					
	母				50歳	
健康	死ぬまで病院にかからず現役を続ける	禁煙	1日1箱の喫煙		1週間に1箱	禁煙
		体重69kg	体重80kg	11kg	77kg	74kg
教養・知識	外国人や有名人など、縁が遠い人達とも交流できる教養を身につける	TOEICで700点	TOEICで300点	400点	350点	400点
		企業小説家	文才150 ゼロ		毎週1冊、小説を読む	
心・精神	誰からも好かれる人間（心）になる	人に好かれる人間になる	あまり人に好かれない		心理学の勉強	身だしなみの研究
		人生の師を見つける	人生の師がいない		交流会の積極的参加	有名人50人に会う
社会・仕事	自分のビジネススキルや人脈を生かして、自分の会社を経営する	500万円	会社設立資金50万円	450万円	資金計画策定	株式投資の勉強
		会社経営者	経営知識・スキル・ゼロ		起業家講習	事業分野の研究
		人脈10人	人脈2人	8人	毎月1回交流会参加	法曹界の人10人と接触
プライベート・家庭	快適で、笑顔の絶えない家庭を築く	一戸建て住宅を購入	賃貸アパート暮らし	住宅購入資金4000万円	貯金500万円	
経済・モノ・お金	老後に何の心配もなく豊に暮らせる経済力を蓄える	マンションのオーナー	知識も金も土地もない			
		28で1000万 30で300万 40で1000万	貯金500万円	500万円 (300万円) (1000万円)	625万円	750万円
未来予測	N……日経新聞 NS……日経産業新聞 NK……日経金融新聞 NR……日経流通新聞					

6

現実を正しく見つめないと、未来もぼやけてしまう

未来年表の大まかな作成工程は、

①夢や目標を列挙し、ゴール地点（達成日時）に配置する
②現状と夢との距離を見定める
③進まなければならない距離を、達成日時までの年月で振り分ける

ということになります。

この未来年表の作成の工程でとくに注意したいのは、②です。つまり、現時点での状況をしっかりと見つめる、ということです、

これがけっこう、簡単なようで難しい作業です。というのも、人は自分自身のことを過大評価しがちだからです。自分のレベルを高く見積もると、そんなにがんばらなくても大丈夫なように思えて、それだけ計画に甘さが出ます。

必要以上に過小評価をすることはありませんが、あるがままの現状を素直に受け容れることが大切です。そのほうが、こなすべき課題がたくさん出てきて、やりがいがあるというものです。

また、不幸な自分をあるがままに認識するのは、ある種、つらいことでもあります。私もとくに精神面では、自分を受け容れるのにちょっとつらい思いをしました。

一人四役という人生を自分で選んだにもかかわらず、その苦しい現状を人のせいにして逃げていた自分、大学に進んで楽しそうに暮らす同級生や、労せずして優雅な生活を手に入れている二世経営者仲間を妬む自分と、向き合わざるをえなかったからです。

たぶん、自分の現状を客観的に眺めると、夢とはあまりにもかけ離れた未熟な自分が随所で浮き彫りにされると思いますが、ここから逃げてはいけません。夢と現実との乖離を埋める行動計画そのものが成り立たなくなるので、辛抱して〝目をそむけたくなるような情けない〟自分自身を見つめることが大切です。

ここで現実を正しく見つめられなければ、その延長線上にある未来の姿を正確に見据えてそこに邁進することなど、できなくなってしまいます。

7 変更やむをえない目標も、生涯をかける目標もある

未来年表を作成するときには、「この目標は、目標倒れになりそうだ」なんて心配は、頭から締め出すことが重要です。

私自身、自分で作った未来年表の中で、達成していない目標がいくつかあります。たとえば「教養」の部分では、実にたくさんの〝やり残し〟があります。英語の勉強は遅々として進んでいませんし、「経営を極める」ための勉強はどんなに本を読み、経験を重ねても、なかなか目標のレベルに達しません。

もちろん、計画が遅れていいとは言いませんが、遅れたことを気にしすぎてはいけません。

「計画も遅れてしまったし、もうできない。あきらめよう」

と、途中で目標を断念することは絶対に避けるべきです。

オリンピックを考えてみてください。一位になれそうにないからといって、途中で走るのをやめて棄権してもいいものでしょうか。頑張って走りつづければ、たとえ一

位の栄冠は手に入らなくても、走りきったことに対する感動や、次のオリンピックにつながる何かを得ることができるでしょう。しかし棄権してしまっては、何もわからずじまいになります。

期日通りに目標が達成できるかどうかは、二の次なのです。

未来年表を書いていると、自分が年を追うごとに成長していく姿が目に見えるように感じられ、ワクワクするものです。いやでも、「着実に実行していこう」という気持ちが高揚してきます。遠慮せずに自分の夢や目標を未来年表に書き込めば、きっと誰でも夢に向かって、すぐにでも走り出したくなるでしょう。

また、年表にしたからといって、すべての目標を毎年段階を経て達成していく必要はありません。十年間の未来年表を作成して、十年後の「心・精神」の目標に「いつでも人に優しく接する」と書いたからといって、三年後の目標を「時々、人に優しく接する」としたり、六年後の目標を「ほぼ人に優しく接する」とするのはナンセンスです。

目標によっては「生涯同じ」というものもあるのです。私も「健康維持」や「家族の幸せ」というような目標に対しては、どんな行動を習慣化するかを考え、それを永遠のテーマにしています。

たとえば「健康」の部分では、自宅にジムの用具をそろえるという夢を実現しましたが、「週に三回、トレーニングをしよう」とか「週に一度、ゴルフの練習をしよう」といった目標は、健康維持のために継続して実践すべきことです。これからの五十年にも反映しなければならない計画と捉えています。

また、私が作った「十五年の未来年表」は三十五歳までの計画なので、本来なら、四十歳になった私には不要なはずです。しかしそこには、生涯にわたって取り組むべき課題や、仕事以外の部分で未達成の項目がまだまだたくさん書かれています。

だから私は今も、その「十五年の未来年表」を大切に保存し、しょっちゅう読み返しています。

8 一年単位の夢や目標は、効果が薄い

「一生分の計画を立てる」というのは、はじめての経験の人にとっては、考える前に気分が滅入ってしまうかもしれません。

「最初はためしに、一年とか、半年の目標からスタートしようかな」と考える人もいるでしょう。しかし、「未来年表」は五年、十年、二十年、三十年と長いタームで作るからこそ意味があるのです。

世間では、年の始めに今年の目標を立てるのが一般のようです。しかしそれは、学校教育が教えた「悪習慣」でしかありません。

なぜなら「究極の目標」が見えていなければ、年間目標は場当たり的な目標設定に陥り、努力の方向を間違える危険があるからです。目先の目標ばかりを考え、どんな人生を歩むために努力しているのかという、人生をロングスパンで捉える視点に欠けるため、本気で取り組むモチベーションも低くなります。

十年、二十年先の「究極の目標」を見据えているから、正しい方向で今年の目標を

明確にすることができるし、今年やるべきことに充実感と高揚感をもって挑むことが可能になるのです。

私は「十五年の未来年表」を数日間集中して、一気に作りあげました。事業の「五十五年計画」もお盆休みなどを利用して一気に書き上げました。「とりあえず一年分の計画を立てて、あとは進展具合を決めて考えよう」といった姿勢では、いつまでたってもゴールには到達できません。


さて、これで今、あなたの手元には「やりたいことリスト」「夢・人生ピラミッド」「未来年表」があることと思います。これで、どこに向かっていけばいいのかはハッキリしました。私は、「目標や意思無きところに、行動はない」と考えています。もうすでに、目標は見つかったのですから、次のステップに進みましょう。

いよいよ次の章からは、手帳を使って夢を現実にするための「行動」について見ていくことにしましょう。

三つの手帳で、夢を現実にする

夢手帳　行動手帳　思考手帳

……………リスト、写真集
……………夢を分類し、優先順位をつける
……………夢を実現するスケジュール
……………未来年表から分解された昨年の反省と、今年の目標・重点目標
……………各夢、目標の達成率をグラフ化し、進捗を確認する
……………未来年表から分解された日・週・月・年のやるべきことTo Doリスト

……………「いつ、何をするか」を書いたやるべきことリスト
……………気をつけること、覚えておくこと、モチベーションを維持するメモ、社是・社訓 他
……………年・月単位のスケジュール
……………週・日単位のスケジュール
（夢手帳の「DWMY・To Doリスト」と「今年の重点目標」を参考に作成）
……………長・中期、短期スケジュールどおりに行動できたかを確認する

……………「誰と何を打ち合わせるか（打ち合わせたか）」を、名前のアイウエオ順に整理する
……………項目、プロジェクト別にメモを分類
（例：賃金、人事、事業別）
……………思考のチェックリスト
……………（備忘録（各種電話番号・口座番号 他）、予備の用紙、ポストイット、各種カード 他）

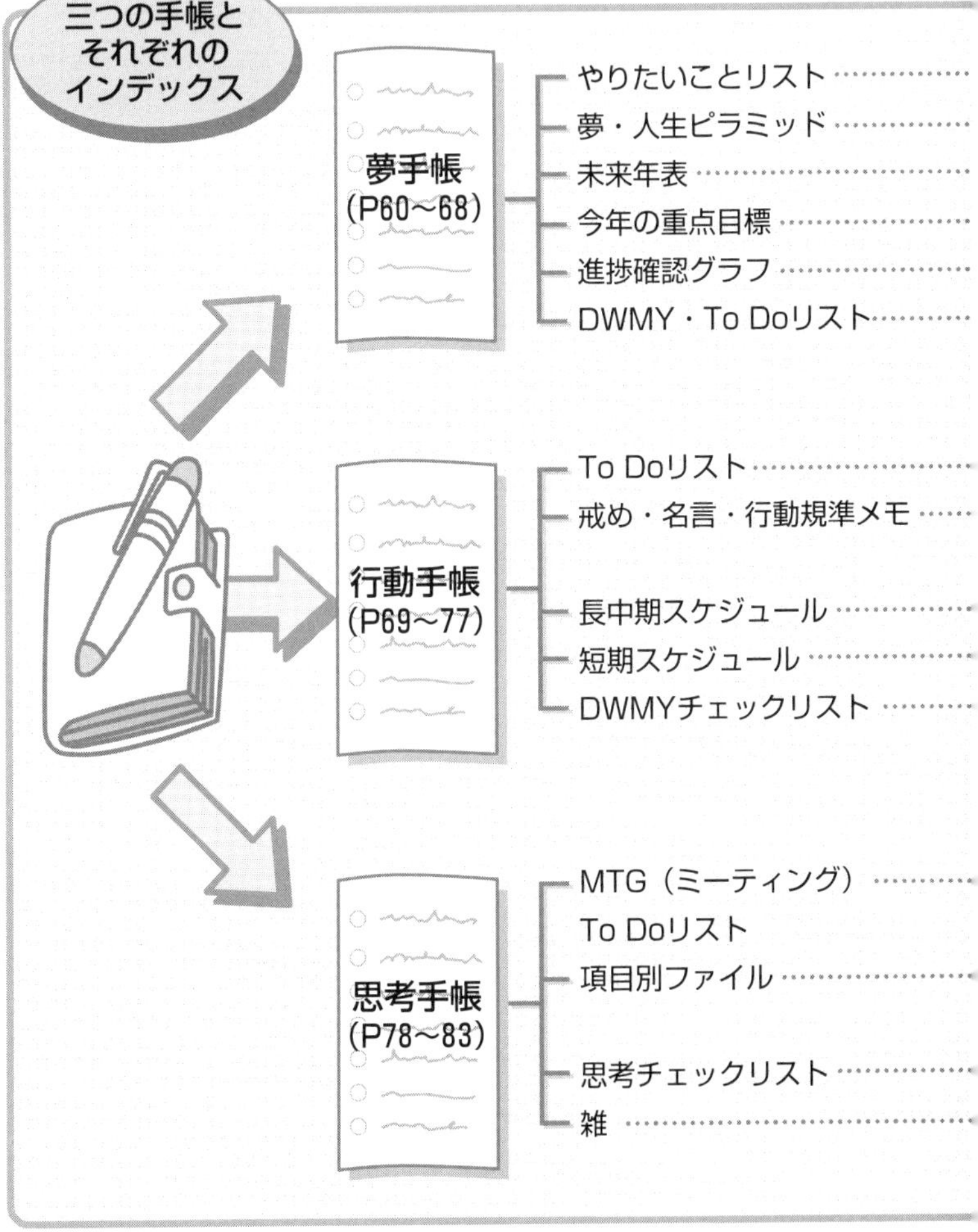
三つの手帳とそれぞれのインデックス
夢手帳
(P60〜68)
やりたいことリスト
夢・人生ピラミッド
未来年表
今年の重点目標
進捗確認グラフ
DWMY・To Doリスト
行動手帳
(P69〜77)
To Doリスト
戒め・名言・行動規準メモ
長中期スケジュール
短期スケジュール
DWMYチェックリスト
思考手帳
(P78〜83)
MTG（ミーティング）
To Doリスト
項目別ファイル
思考チェックリスト
雑

1 手帳の心臓部「夢手帳」とは?

私は、自分で作成した「十五年年表」に書かれている夢を追いかけて生きてきました。そして、自分で会社を設立する、上場するといった「社会・仕事」に関する夢では、その多くを実現させてきました。しかし、実現していない夢や未来もあります。それらの共通点は、漠然としか考えていない夢や未来だということです。

逆に考えると、実現する夢や未来には、次の条件を備えている必要があるのです。

①紙に書く
②強く信じる
③モチベーションを維持し続ける
④こつこつ努力を重ねる

この章では、夢を実現するための手帳、つまり「夢手帳」「行動手帳」「思考手帳」の作り方、使い方を紹介します。その根幹となるのは、「夢手帳」です。

夢手帳とは「やりたいことリスト」「夢・人生ピラミッド」「未来年表」が入ってい

る手帳のことです。夢手帳の中には、この他にも、未来年表から分解して作る「今年の重点目標」や「ＤＷＭＹ・ＴｏＤｏリスト」、また「進捗確認グラフ」などが入っています。つまり夢手帳は「①紙に書く」「②強く信じる」「③モチベーションを維持し続ける」ための拠り所なのです。

夢を持つことですべてが実現するとは言いませんが、意思を強く持てば、行動を起こせます。夢に一歩一歩、確実に近づいていけます。その指南役となるのが、手帳の中でも最も重要なポジションにある「夢手帳」です。

そしてこの夢手帳を、常に持ち歩くことです。というのも、どこかにしまっておくと、いつの間にか「夢」や「やりたいことリスト」の存在を忘れ、せっかく活躍の場を得た夢そのものが〝亡き者〟になるのがオチだからです。

夢に向かう気持ちを鼓舞し、行動を起こし続けるためには、折に触れて夢手帳を開いて、

「自分の夢はなにか？」

「その夢まで、どれだけ近づけたのか？」

を確認できる状態にしておく必要があるのです。

2 目で見て、手で触れられるような夢の方がかないやすい

夢手帳の中には、「やりたいことリスト」が入っているのですが、ここで「やりたいことリスト」をより魅力的にするコツを二つ、ご紹介しておきましょう。

まず一つ目は、より具体的に記述するということです。たとえば「マイホームを手に入れたい」という夢（やりたいこと）がある場合「やりたいことリストに」、「マイホームを手に入れたい」

とだけ書くのでは、効果が薄くなります。なぜなら、あまりにも漠然としているからです。マイホームといっても、一戸建てからマンション、都心から郊外までさまざまです。これを一言で「マイホーム」としてしまっては、自分の本当に望む夢も、それを達成するためにどれくらい頑張ればいいのかもわかりません。

ですから、やりたいことや夢はなるべく詳細に書き出すことをすすめます。たとえば私は、過去に「マイホーム　こうじゃなきゃいやリスト」なるものを作りました。

「△△線沿線か、△△線沿線で、都内にある。駅からは徒歩△分以内」

「小中学校、図書館が近く、通勤経路に大きな本屋（営業時間が長い）がある」

「お風呂は広く、ジャグジー、サウナ、AVを完備している」

「床は下へ響かない。壁の音は漏れない。白い壁、白木の床、フローリング」

といった感じで、生々しいくらいに自分の望むマイホーム像を数十項目にわたってカタチにしたのです。この方が、より自分のやりたいことや夢が具体的になります。

「やりたいことリスト」を魅力的にする二つ目のコツは、写真や絵などのビジュアルを活用することです。私は昔、街であこがれの外車を見つけ、まるで自分がその車のオーナーであるかのような顔をして写真を撮り、それを夢手帳に貼ったことがあります。こうすることで、より視覚的にリアルに訴える夢が一つ増えました。


これと同じ要領で、「会社を興したい」と思ったら、かっこいいオフィスの写真を、「国際的に活躍できるビジネスマンになりたい」と思ったら、外国のビジネスマンと日本人がにこやかに握手をしている写真を、それぞれ夢手帳に貼りました。実は今から十数年前に、とある人から本を出版することをすすめられました。その方には本の絵を描いてもらったのですが、もちろん今でもそれは夢手帳に入っています。

夢は「〜したい」と書くだけでは効果半減です。よりビジュアル化するか、細分化して、あたかも手で触れられるようなカタチにした方が、夢はかないやすいのです。

3 夢を収集していると、夢がむこうからやってくる

「夢手帳」を使い始めたらすぐ、自分の夢にひっかかるさまざまな情報を手帳にスクラップすることを習慣化させることです。

新聞を読んでいて、記事に興味を感じたら、切り取って手帳の一ページに貼る。雑誌で料亭の紹介記事を見て「こういうお店で食事する身分になりたいな」と思ったら、その写真を切り取って手帳の一ページに貼る。本を読んでいて感銘を受ける言葉に出会ったら、ポストイットに書き写して、手帳の一ページにペタッと貼るなどです。

「これが夢なんだよな」と感じた素直な欲望のままに、自分の夢を具現化する情報を集めていいのです。

これらのスクラップが、夢に向かう気持ちを大いに鼓舞してくれることは言うまでもありません。自分の夢の世界がより具体的になり、「やりたいことリスト」に書いた文字がいっそう力強さを増すのです。こういう意識づけは強いにこしたことはないでしょう。誰にでも簡単に実践できます。

おそらく多くの方は、「私はボーッとしているから、貴重な情報に遭遇しても気づかずにやり過ごしてしまいそうだ」とか「私はマメではないので、スクラップする作業自体が面倒。続きそうもない」といった不安を感じるかもしれません。

それは杞憂というものです。「やりたいことリスト」を書き、何度も読み返すうちに、労せずして情報感度は鋭敏になります。不思議なもので、夢や目標が決まっていると、そこにいい話がむこうから集まってくるのです。吸い寄せられてくるのです。

スクラップを一つ、二つと集めていくうちに、さほど意識せずとも、夢に関わる何かに巡り会う頻度は増し、あれもこれも手帳に入れてページを増やしていくことが快感になるものです。

これは、一種のコレクター心理に通じるものです。何かを集めたいと思っていると、だんだんに〝鼻がきく〟ようになります。情報が手に入りやすくなり、少しずつコレクションが増えていきます。そうなるともう、コレクションがやめられなくなります。

また、いろいろ集まってきた話や情報から、自分に有用なものだけをすぐに取捨選択することもできます。なぜなら、目標が決まっているから、悩む必要がないのです。

手帳に情報を収めるということは、夢をコレクションするのと同じです。やってみると、誰もがはまってしまう魅力に満ちています。

4 夢を実現するために必要なことをリストアップする

これまでご紹介してきた「夢手帳」の「やりたいことリスト」「夢・人生ピラミッド」「未来年表」は、なりたい自分や夢、あるいは「この時点でこうありたい」ということを示すものでした。当然のことながら「なりたい」「ありたい」と願うだけでは、夢は現実のものにはなりません。夢を現実のものにするためには、具体的に「じゃあ、そのために何をしなければいけないか」を考える必要があります。

そこで必要になるのが「ＤＷＭＹ・ＴｏＤｏリスト」と「今年の重点目標」です。毎年末に作成するこの二つについて、順番にご紹介しましょう。

まず「ＤＷＭＹ・ＴｏＤｏリスト」ですが、これは未来年表の横軸・縦軸から分解して、日・週・月・年単位の「やるべきこと」を列挙したリストです。年表の中の夢や目標を達成するために、何をやらなければいけないのかを具体的に書き出すのです。

この「ＤＷＭＹ・ＴｏＤｏリスト」を作るにあたっては、まず最初に、年単位のやるべきこととして、人間関係についての恒常的な事項、つまり誰かの誕生日や、結婚記念日などについてを一気に書き込んでしまうことがポイントです。これらは日付が確定しているので、何の問題もなく最初に書き込めます。こうしておけば、大事な日を忘れてしまい、人間関係をおかしくしてしまうといったことがなくなります。

次にいよいよ、その年のたくさんの目標を達成するために「やるべきこと」を書き出していく作業に入ります。要は、その年の目標を洗いざらい書き出し、そのためにやらなければいけないことについて、何月に（あるいは毎月）何をやるのか、何週目に（あるいは毎週）何をするのか、何日に（あるいは毎日）何をするのかを、振り分けていくのです。

たとえば、ある年（縦軸）の、「健康」というセグメンテーション（横軸）に「体重七十四kg」と書いてあるとしましょう。その前年に「体重七十七kg」と書かれてあれば、その年の年単位（Y）のやるべきことは「体重を三kg減らす」ことになります。

これをもとに、月単位（M）、週単位（W）、日単位（D）でも、それぞれやるべきことを考えます。「体重を三kg減らす」という例の続きで考えると、月単位のやるべきことは「四カ月ごとに一kg減らす（一カ月で二百五十g減らす）」となり、週単位のやるべきことは「毎週△曜日にジムに通う」、日単位のやるべきことは「毎日、体重計にのる」「毎日一時間ジョギングする」などが考えられるでしょう。

もちろん、数カ月や数週間、数日に渡って一つの行動テーマで通すこともアリです。何も月ごとに行動内容を変える必要はありません。「とにかく、十二カ月分の行動テーマを考えなければ」「四週間分の行動テーマを考えなければ」なんて思うと、肩に力も入り、その行動にも無理がでてきますので、行動期間は柔軟に考えましょう。

こうして書き上げていけば、夢や目標を現実にするために、何をしなければいけないのかが一目瞭然です。

次に「今年の重点目標」ですが、これは未来年表のその年の目標をもとに、前年の反省を踏まえて作成します。前年度に達成できなかったことや、その年に特に力を入れるべきことを、「今年の重点目標」として整理するのです。そうすれば、優先順位を明確にした上で、目標の達成に取り組むことができます。「いろいろ頑張ったけれど、肝腎なことには手をつけられなかった」という事態を防ぐことができます。

前年に目標を達成できたかを検証し、できていなければ反省することは、この先何年も夢に向かって行くうえで欠かせません。ですから私は、夢や目標について達成率をグラフ化した「進捗確認グラフ」を作り、これを確認することにしています。

さて「ＤＷＭＹ・ＴｏＤｏリスト」と「今年の重点目標」の二つが完成すれば、次はこの二つを「行動手帳」の中で、具体的なスケジュールに落とし込んでいきます。

5 「行動手帳」でやるべきことをスケジュールに落とし込む

「夢手帳」の次は「行動手帳」です。これはいよいよ「夢を達成するためには、今（いつ）何をやればいいのか」「何に気をつけて行動すべきなのか」といった具体的な行動予定が書いてある手帳です。

この「行動手帳」の中核をなすのが「長中期スケジュール」と「短期スケジュール」です。前者には一カ月単位の、後者には一日単位の予定を書き込みます。

その大元になるのは「夢手帳」で作成した「今年の重点目標」と「DWMY・ToDoリスト」です。この二つをもとに、その月、その日に、何をするべきかを、それぞれのスケジュールに転記するのです。ただし、スケジュールといっても「何時から何時まで、何をする」という細かい時間割にする必要はありません。それぞれの月日に、何を行動するかを箇条書きにしたチェックリストで十分です。

私はいつも、年末年始のお休みを利用して、未来年表を見直して「今年の重点目標」と「DWMY・ToDoリスト」を作成していますが、その時にこの二つのスケジュールも一気に作成します。各月、各日にやるべきことが割り振られ、自分の行動がぐっと具体的になります。

また、後ほどご紹介しますが、同じ行動手帳の中には「戒め・名言・行動基準メモ」があり、この中には、自分のこれからの行動について大切だと思われることが書いてあります。その中から、それぞれのスケジュールに書いておいた方がいいと思われるものも、いっしょに書いておくと効果的です。

たとえば、体重を減らすという年間目標があり、「短期スケジュール」（その日のやるべきこと）の一つが「一時間ジョギングをする」だとします。そして自分は、ジョギングをした後にはいつもビールが飲みたくなる性分だとします。こんな場合はその日の短期スケジュールの余白に、「戒め・名言・行動基準メモ」から抜き出した「ビールは低カロリーのものしか飲まない」といった言葉を書いておくのです。

ここまでできれば、手帳を見るだけで毎日のやるべきことが一目瞭然になっているはずです。そして、どんなことに注意して行動すればいいのかも一目瞭然のはずです。

わたしは、この「長中期スケジュール」は全部一式、「短期スケジュール」は、一週間分を毎週末に整理して書き上げ、毎週差し替えて持ち歩いています。もちろん、過去のスケジュールは、すべて自宅にスクラップしてあります。

三つの手帳で、夢を現実にする

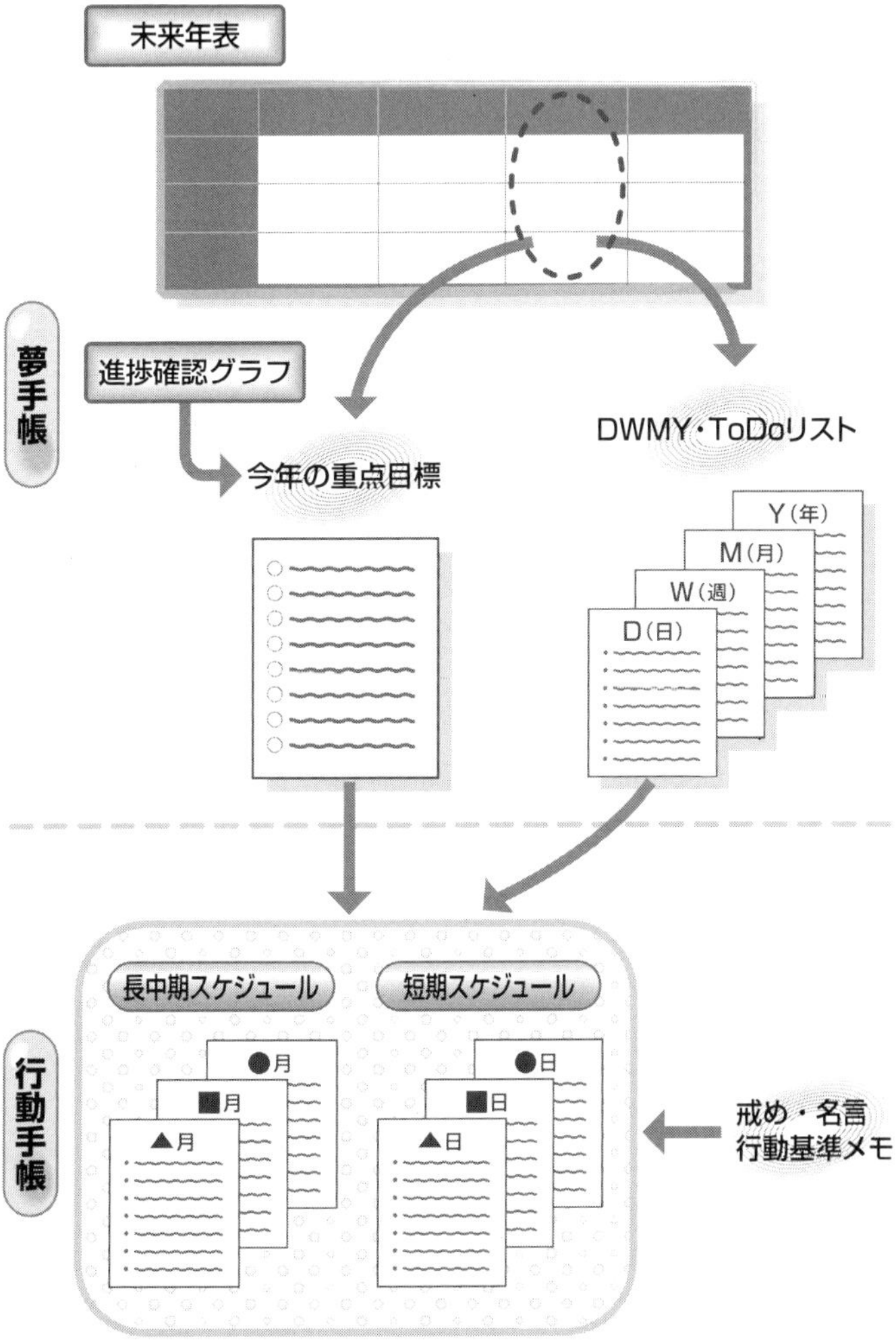

6 自分にとって大切な言葉を宝箱に集める

「長中期スケジュール」「短期スケジュール」とならんで、行動手帳の中の大事な手帳があります。それが「戒め・名言・行動基準メモ」です。これは、誰かにお会いした時、あるいは本や新聞、雑誌を読んで、ピンときた言葉や情報を集めた手帳です。

もちろんこの手帳の中に収められたフレーズや情報は、どれも、夢に向かう私にとって、貴重なアドバイスを与えてくれるものばかりです。日々の行動を戒めたり、仕事で何らかのヒントを得たり、心が正しい方向に導かれたりと、生活のあらゆるシーンで、私はこのメモの恩恵を受けています。

もっとも、ありがたい格言やことわざばかりを集める必要はありません。自分で「これは大事だ」と思ったことを、どんどん書き込みましょう。私の手帳の中にも、

「儲けるより損をしないこと」

「仲間を大切に」

といった、普遍的な、なおかつ大切な言葉から、

「睡眠は、一日六〜七時間半はとる」といった、私だけの大切な言葉が入っています。著名人のコメントや、キャッチコピーに使えそうなしゃれたフレーズだけ集めようと言っているわけではないのです。大切な言葉というのは、書くことでいっそう、重みを増します。書かなければ、いっときの感動に終わり、やがて忘れ去られるのがオチです。文字として残し、それを繰り返し読んで思い出すことによって、いつまでも頭と心に刻まれます。

心に響く言葉に出会ったら、手帳という名の自分の脳ミソに書いて残す。そうしなければ、せっかくの出会いも台無しです。「いい人生」を歩むための大事な道しるべを失うことにつながり、とてももったいないと思います。

いい言葉をメモするのは、そんなに手間暇がかかることではありません。私の場合は、常に携帯している四〜五センチ角くらいの大きさのポストイットにメモし、手帳のリフィルにペタペタと貼り付けています。

その場でメモできないときは「ちょっと失礼」とトイレに立ち、個室でシャープペンシルを走らせることもあります。書くのは後回しにして、とりあえず携帯電話のメールを使って自分宛てに送っておくこともあります。いずれにせよ、作業にはものの一分とかかりません。「後でメモしよう」と思っても、メモすること自体を忘れてしまいかねないので、とにかく「いい言葉を聞いたら、すぐにメモしておく」のが基本です。ただし、いい言葉も、脈絡なく並べておくと、読み返すときに具合が悪いものです。ある程度、項目別に整理し、並べ換えることをオススメします。

私は週末にポストイットの群れを、一枚一項目のリフィルに貼り直しています。ポストイットを使っているのも、こうして簡単に貼ったりはがせたりできるからです。私の手帳には、こうして書き留めたいくつもの珠玉の言葉が散りばめられています。これらたくさんの「座右の銘」が、文字通り身近なところ、つまり手帳に収められているから、毎日の戒めとして機能するのです。

手帳は、いい人生を作るいい言葉の宝庫としても、利用価値が大きいのです。なお、「戒め・名言・行動基準メモ」に集めた言葉は、ここだけで保管しておく必要はありません。たとえば来週会議があるのなら、「人を責めない」「対話思考」といった言葉を引っぱり出してきて「短期スケジュール」の会議の行われる該当ページにそれらの言葉を書いておくと、よりその言葉達があなたの力になってくれるはずです。私の手帳もある意味、全体が「戒め・名言・行動基準メモ」になっています。

言葉は置物ではありません。何度でも引っぱり出して、書きましょう。そうすることで、いずれその言葉は、あなたの脳に確実にインプットされるはずです。

7 ＴｏＤｏリストで、やるべきことと優先順位を確認する

行動手帳の中には、「ＴｏＤｏリスト」も入れておきます。ＴｏＤｏリストとは、「いつ、何をしなければいけないか」を書いたやるべきことリストです。

夢手帳で作った「ＤＷＭＹ・ＴｏＤｏリスト」には、この先やらなければならないことが、夢や目標からブレイクダウンして書いてあります。でも実生活では、そこに書いてないこともたくさんする必要が出てきます。「ＴｏＤｏリスト」には、それらやるべきことを、忘れてしまわないように書いておくのです。

「ＴｏＤｏリスト」を作ると、やり忘れが防げるだけでなく、何を先にする必要があり、何を後回しにすればいいのかという優先順位もわかります。リストを作らないと「ああ、やることがいっぱいある」と漠然と感じるのですが、一覧できるリストになっていると、急を要するものや時間をかけていいものなどを、比較検討できます。

やるべきことを間違いなく、しかも効率的にこなしていくには、ＴｏＤｏリストは不可欠です。

8 三日坊主になりそうになると、手帳が戒めてくれる

手帳をトレースするように人生を歩んでいる私ですが、手帳の計画どおりに運ばないものや、達成年限までに目標を達成できないことも少なくありません。行動手帳の中に「DWMYチェックリスト」というリストを作って、スケジュールどおりに行動ができたかを確認するようにしているのですが、すべてを予定どおりにこなすことは現実には難しいです。

でも、日々忙しかったり、予想以上の困難に見舞われたりするために、「なすべきこと」を計画通りに着々と進められないとしても、そんなに気にしてはいません。私は、「目標は書いて記録し、繰り返し読み返すことに意義がある」と思っているからです。夢や計画は、書いておけば決して忘れることはありませんし、常に目標との誤差を意識することができるのです。

私も実際、「今年は毎日、英語のヒヤリングの勉強を十五分やる」と計画しておいて、できない日が続き、結局はちっとも能力が向上しないなんてことは日常茶飯事です。

そんな時、手帳が「英語の勉強をしなくては」と思い出させ、目標と現実の間にどれぐらいの差があるかを教えてくれるから、計画を放棄することはありません。

できない日があっても、できる日もある——手帳があきらめずに挑戦する気持ちを持続させ、年表が計画とのズレを埋めるための努力を促してくれます。

「やろう」と思うだけでは三日坊主になって永遠にそれっきりですが、手帳に夢として書き留めておくと、常に目標との誤差を意識させられるので「やらねば」と気持ちが奮い立ちます。結果、予定どおりのペースが守れなくとも、確実に目標に近づけるのです。私はもともと三日坊主です。だからこそ、そんな自分を縛るために夢を手帳に書いている部分もあるのではないかと思っています。

人間はコンピュータと違い、プログラムどおりに動くことは不可能です。計画に誤差はつきものだと鷹揚に構えて、それを埋める努力を続けるために手帳を活用していただきたいと思います。そもそも、長い人生において一年くらいの目標のズレは、誤差の内です。

ですから私は、手帳を夢達成のツールと捉えていれば、三日坊主はありえないと考えています。それでももし三日坊主になるとすれば……

あなたの夢そのものが、きっと「三日坊主の夢だった」ということでしょう。

9 チェックリスト思考のすすめ

最後の手帳は、思考手帳です。

この手帳の中には、打ち合わせについてメモをする「MTG（ミーティング）ToDoリスト」や、人別・事柄別にまとめた「項目別ファイル」、その他には各種電話番号のメモやポストイット、予備のリフィルなどが収納されています。つまり、いわゆる「普通に多くの方が使われている、手帳の中身」に近いものがあります。

でももちろん、私なりの工夫がここにもあります。それが「思考チェックリスト」です。これがあるから、わざわざ「思考手帳」と名づけたのです。では、その「思考チェックリスト」とは何かをご紹介しましょう。

先ほどご紹介した「行動手帳」の中の「長中期スケジュール」と「短期スケジュール」には、年・月・週・日ベースでの行動予定が落とし込んであります。これは時系列でやるべきことを一覧にしているのですが、もちろんそれだけでは不十分です。事業別、プロジェクト別、テーマ別、あるいは人別など、各項目別にも、やるべきことや情報をまとめておかないと、実生活では困ります。

そこで必要になるのが「項目別ファイル」です。私の場合「賃金」「人事」「M&A」「組織」「IR」「資本政策」「新規事業研究」「家族」などの項目がここにあります。

さて、ここまでなら多くの方もすでに実践されているかと思いますが、私の場合はここにそれぞれ、「思考チェックリスト」というものを用意しているのです。ここが大きなミソです。「思考チェックリスト」とはその名のとおり、考えるためのチェックリストです。それぞれの項目のポイントや注意点、流れなどを一覧できるようにしたもので、これがあればロジカルに、スムーズに頭を回転させることができます。

たとえば、「新規事業チェックリスト」を例に見てみましょう。これは、新しい商売のネタに出会ったときに、自分の初期的な関心を分析するチェックリストです。チェック項目として、

「成長性」

「将来性」

「新奇性」

「ナンバーワンになれるか」

「特許をとれるか」

「競合はどこか」
「インフラか」
「ストックか」
「独占できるか」
「上場できるか」
「必要な人員数は」

などを用意し、これら一つひとつの項目について「◎」「○」「△」「×」の記号で判定していきます。

もちろん、最終的に新規事業に進出すべきかどうかは詳細な調査をして決定しますが、このリストがあれば、検討に値するかどうかがある程度、判断できます。

また「M&A」には「M&Aチェックリスト」があり、そこにはM&Aの流れや、「純資産の△△%以内の時価総額ならM&Aする」といった判断基準がリストの一覧になっています。

チェックリストの項目はすべて、自分の夢や目標と合致するかどうかをチェックするものなので、総合判定が悪ければそれ以上検討する必要なし、ということです。つまり「思考チェックリスト」を作るということは、手帳の中に自分の思考の基本であるフレームワークを作っておくということです。

「思考チェックリスト」を作るメリットは二つあります。一つは、検討事項の漏れがなくなることです。もう一つは、判断を迅速に、ロジカルにできることです。

人の頭は意外に忘れっぽいものです。たとえ過去に自分が実践したことでも、再度それをしようとすると「どういう流れで進めて、まず何をやらなければいけないのか」「どうやればうまくいったか」「最低限、考えておかなければならないことは何か」といったことを忘れてしまっているものです。これを一から思い出していては、大変時間のロスです。また、その都度目標に向かう考えがブレる恐れもあります。

結果、調査するまでもなく進出すべきではない事業でも、判断基準がないままに「どうしようかな」と悩み、「とりあえず、情報収集をするか」ということになるでしょう。これでは、頭と時間のムダ遣いです。

「思考チェックリスト」があれば、何を基準に判断し、何をどうすればいいのかが整理されているので、そういったロスを防いでくれるわけです。

私は仕事でもプライベートでも、たくさんの「思考チェックリスト」を作って、何かにつけて大いに活用しています。自分の考えをブレさせないためにも、そして、ムダな思考時間をつくらないためにも、こういったチェックリスト思考をすすめます。

10

メモ&チェックで、会議が効率化する

ビジネスにおいて、会議はつきものです。最近では、会議やミーティングの上手なやり方といった書籍も出回っているようです。ここでは、私が会議をより効率的なものにするために、その席上で実践している手帳によるメモとチェックの方法をご紹介します。

たとえば、社内で人事部のミーティングがある場合、私はあらかじめ新しいリフィルを一枚用意します。そして右隅に、日付と、「人事ミ」というインデックスを書き込んでおきます。これを、各種ミーティングの記録を収めている「思考手帳」の中の「MTG（ミーティング）ToDoリスト」に綴じこんでおきます。

さて、ミーティングが始まると、私は手帳の新しいページを開いて右に置き、言葉のやりとりをしながら、要点を箇条書きでメモしていきます。

その中で、自分がやらなければならないことや、クリアすべき課題、相手にお願いしたことなどは、頭に「□」のチェックボックスをつけておきます。ここには後日、対応が終わると「✓」マークを入れます。

こうしておけば、会議で決定したことの「やり残し」「やり忘れ」が防げます。

と同時に、次のミーティングがあるときには、事前に前回のメモをざっと読み返せるので、相手にお願いしたことがどうなったかを確認したり、自分が案件に関してどういうアクションを起こしたかを伝えたりすることも忘れずにすみます。

GMOグループの社員はどうやら、私がミーティングのたびに前回のことをすべて覚えているかのようにふるまうので、少々の恐怖心を感じているようです。私に限っては、「忘れてくれるといいな」なんて希望的観測は通用しないのです。それだけ社員もうっかり口先だけでモノを言えないというわけです。

言ったことを実行しなければ、彼らは、いや私自身も、私の手帳から「早くやれ」と催促されることになります。

迅速な行動を促す、これもメモの効用と言えるでしょう。

11

株式公開企業は、手帳から生まれた

以上、ご紹介してきたのが、「夢手帳」「行動手帳」「思考手帳」からなる、私の手帳&手帳術です。「はじめに」でも書きましたが、私がＧＭＯグループの代表になれたのは、ひとえにこの手帳のおかげです。そのことは、私の今日に至るまでの経緯を知っていただければ、納得していただけるでしょう。論より証拠。少し長くなりますが、ここでは私の「手帳から生まれた起業物語」におつきあいいただこうと思います。

私が「十五年の未来年表」を作ったのは、二十一歳の時でした。この時の年表には「三十五歳までに会社を上場させる」という大きな目標を書いていました。ただし、この時点では、どんな事業に進出するのかは、まだ深い霧の中だったのです。

「どの分野でもかまわない、必ず、ナンバーワンになる」

なんて、きわめて具体性に乏しい目標の記述でした。友人からも「雲をつかむような計画だな」と笑われたものです。しかし、会社を興すと決めて上場までの計画を練ったあとは、その年表を四六時中眺め、その行動予定に従って人生を歩んできました。

具体的には、家業を手伝う傍ら、経営者として身につけるべき器、教養を少しでも高めるために、二十代前半の日々の時間を費やしていました。この過程で、商売のネタはきっと見つかると信じていました。

実際、それは見つかりました。きっかけは、夢手帳に記した未来年表からでした。

私の未来年表には「会社設立」という夢が書いてあったのですが、その当面の計画として、会社設立資金を貯めるために株式投資の腕前を上げる、という目標がありました。投資効果を上げるためには、勉強が必要です。経済や経営の本を読み漁る一方で、日本経済新聞を毎日欠かさずに読み、手書きで株価のグラフを書き続けていました。

そんな時、近所の本屋で「パソコンを使って株で儲ける本」というのを見つけたのです。さっそく読んでみると、「雑誌に掲載されているような株価のチャートが、本書のプログラムを入力すれば、株価を入力するだけで自動的に作成される」とありました。私はこれに刺激されて、パソコンを購入しました。八〇年代後半のことだったと記憶しています。今なら、株価のグラフなんてインターネット証券からソフトをダウンロードすれば誰にでも見れますが、当時は雑誌や新聞を見るか、手で書くしかありませんでした。また、パソコンを使うにしても、プログラミング言語を読み書きする勉強が必要だったのです。

私はもともと、機械いじりが好きでした。十代のころには、ソニーのスカイセンサーというラジオに夢中でした。これは世界中の短波放送が聞けるラジオで、真ん中の大きなボタンを指先の微妙な感覚を頼りに少しずつ動かしながら、どこかの国の音を探し当てるのが楽しくて、大いにはまったものです。今考えると、世界の情報が飛び交うインターネットの世界と、どこか通じる楽しさだったなぁと思います。

それはさておき、こうしてパソコンをいじり始めた私は、やがて株の勉強だけではなく、実家のビジネスである貸しビル業にもパソコンを導入しました。経理業務などをどんどん、パソコンに置き換えていったのです。この過程で自然と、ベーシックプログラムに詳しくなり、さらにパソコンへの思いを強めることになります。

「起業するなら、パソコンを使った分野だ」

と判断するまでに、そう時間はかかりませんでした。

商売のネタを見つけた私は、手帳に書いた予定どおり、一九九一年にマルチメディア事業を目的として、株式会社ボイスメディアという会社を設立しました。

ただしこの事業については、数年後に「撤退」という大きな決断をしました。なぜか。それは、「このまま続けていても、夢は達成できない」と思ったからです。私の

「夢手帳」には、何かの分野でナンバーワンになると書いてありました。しかし、当面は儲かっても、先々ナンバーワンで居続けることはできないと判断したからです。夢の達成を阻むリスクが大きければ、朝令暮改もやむをえません。「夢手帳」が事業の方向転換を告げていたのです。

その時私の中には、すでに新しい事業への意欲が動き始めていました。手帳を見て常に「商売のネタ探し」を意識していたからでしょう。さまざまな情報に敏感になり、無意識のうちに「これは商売になるか」という視点で物事を眺めることができるようになっていました。

そしてインターネットと出会い、そこに大きな可能性を見いだしたのです。インターネットをはじめて経験したのは、一九九四年のことです。その瞬間に直感しました。

「これだ！　インターネットだ！　すごいビジネスになるぞ」

そのころの私は実のところ、パソコン通信とインターネットの違いもわかっていませんでした。しかしそんなことはお構いなく、「とにかくインターネットを研究する」という計画を、行動手帳に書き加えました。そして、研究するうちにますます、インターネットには大きな可能性があると確信しました。将来的にインターネットは、電気やガス、水道と同じように広がっていくだろうと。

インターネットでどんな事業を展開しようか。インターネットの研究をしながら模索していた時、私はふと、自分が手帳にスクラップしている新聞記事が、どういうわけか、財閥の記事や、「○○王」と称される人物の記事が多いことに気づきました。

「なるほど、私はこういうビジネスモデルに興味があったのか」

手帳を通して夢が潜在意識化されていると、こういうことがよく起こります。夢に必要な情報を、記事を切り抜く手が本能的に察知するとでも言いましょうか。情報選びにも、見えない力が働いていたようです。

私は、インターネットと財閥ビジネスを重ね合わせて考えることにしました。そして、自分がやりたいことは、鉄道系の財閥に近いと分析しました。

ご存じのとおり、鉄道会社はまず、線路を敷いて電車を走らせ、都心駅に百貨店、郊外駅に遊園地を造ります。さらに、都心に近いところから土地開発をして住宅やスーパーを造ったり、駅の空いた空間に飲食やグッズの店舗を設置したり、電車を〝走る広告塔〟化したりなど、さまざまなビジネスを展開します。その中でも最も長く生き残るインフラは、言うまでもなく線路です。

では、インターネットが巨大産業になるとしたら、鉄道に当たるものは何でしょうか。それはプロバイダだと結論づけました。

一九九五年の春ごろのこの段階ではまだ、プロバイダは三十社ほどしかありませんでした。ただ、どこもメンバー制で利用料が高く、しかも料金は前払いで、入会してから接続までに一カ月近くかかるというのが実情でした。

もっとも、私の会社が同じようなプロバイダを目指しても、ナンバーワンにはなれませんし、誰でも簡単に接続できるサービスでなければ、インターネットは普及しません。どうすればいいか。手帳に書き留めていた言葉を思い出しました。

「人の行く裏に道あり花の山」

この株式投資のために読んだ本で見つけて、手帳に書き留めてあった言葉を見ながら、「人と同じことはやらない」と自らを戒め、懸命に新しい商売のネタを考えました。その結果到達したのが「いつでも、どこでも、誰でも使える非会員制の接続サービス、interQ ORIGINAL」でした。

interQ ORIGINALの事業化に当たって、二つの「世界初の発明」を実現させました。一つは、インターネット接続事業と、NTTの料金回収代行システム「ダイヤルQ」との組み合わせです。これは、ユーザーが会員登録をしなくても、インターネットに接続した時間に応じて料金を後払いするシステムです。

もう一つの発明は、この非会員制のプロバイダ事業と、フランチャイズ・システムの組み合わせです。インターネットは米国でもまだ、一部の限られたマニアのためのインフラでしたが、私はそれ自体をビジネス化しようと、フランチャイズという既存の商売の手法を導入しました。そして、わずか一年数カ月で全国に五十カ所以上の営業拠点を設置することができたのです。

このアイデアのヒントになったのは、またしても手帳の中に書き留めていた、ある一節でした。あるベンチャー企業経営者から教えていただいた言葉です。

「発明は組み合わせ。消しゴム付き鉛筆を思い出そう」

何でも、米国のリップマンという画家は、「鉛筆と消しゴムを使っていると、よくどちらかをなくす。いちいち探すのは面倒だから、一緒にしちゃえ」という発想から消しゴム付き鉛筆を発明し、一八五八年に特許を取得したとか。一説によると、彼は当時のお金で二億円も儲けたそうです。

この話を聞いて私は、「なるほど、簡単な組み合わせが企業の命運を決めることがあるんだな」と思い、さっそく手帳に記しておいたのでした。

私はこれを足がかりに、今日までさまざまなインターネットインフラの事業を展開してきました。プロバイダ事業に参入したときと同様、

「なくならないインフラは何だ？」

と考え、鉄道にたとえれば電車の車庫に当たるサーバー事業や、信号機に相当するドメイン事業等に乗り出したのです。新規の事業に乗り出す時には、思考手帳の中の「新規事業チェックリスト」を活用しました。毎回毎回ゼロベースから新規事業についてそれぞれ検討していたのでは時間がかかり、迅速に行動できなかったと思うのですが、私の場合は手帳を開けるだけで新規事業に乗り出す際の段取りやポイント、注意点がすぐ把握できたので、大いに助かりました。

こうしてインターネットの場の提供に特化した事業、つまり絶対になくならないインフラを事業化することで、安定した収益をあげることができました。そのおかげで、「会社を設立する」「会社を上場させる」という夢を達成したのです。また二〇〇三年現在、ＩＴ事業の四つの分野で「ナンバーワンになる」という夢も達成することができました。

少々長くなって恐縮ですが、私がインターネット・ビジネスに乗り出し、今日まで順調に業績を向上させている裏には、常に手帳の存在があることがおわかりいただけたと思います。一冊の手帳から、思いどおりの人生が始まる。これは、私の中では今後も変わらない普遍の真理なのです。

私の仕事術&勉強術

「できる」人になるための十の秘訣

1 締め切りのない仕事に、成果は期待できない

仕事における目標というのは、すべて数値化できると私は考えています。いや、「数値化できない目標は、目標ではない」とさえ思います。

こう言うと、「私は営業マンではないから、数値化できる目標はない」と反発する人が少なからずいます。しかし、そんなことはありません。

そもそも、どんな仕事にも「締め切り」があります。日付は数字そのものです。大半の仕事がルーチンワークだとしても、「目標は十一月二十五日」とか「目標は今日の午前十一時」といった具合に、目標を数値化して行動することは可能です。

どんなに些細な、つまらないと思える仕事でも、締め切りがあると、がぜん取り組み方が違ってきます。これは、「いつでもいいから、やっておいて」と指示された仕事に向かうときの自分を考えると、わかりやすいでしょう。

おそらく、八~九割の人が「いつでもいいなら、今やらない」と考え、やればすぐにできる仕事でも、なかなか取り組む気持ちになれないと思います。

逆に、延期不能の期限が設けられている仕事だと、何とか間に合わせようと知恵を絞って計画を立て、しゃにむに突っ走るはずです。誰もが「どうにも変えられない締め切りがあると、火事場のバカ力が出る」という経験をしているのではないですか。

「私の仕事は目標の数値化ができない」と言う人は、あらゆる仕事にとにかく締め切りという目標を設定してみることです。その際「できるだけ早くやる」とか「暇になったらやる」といったあいまいな目標ではダメ。「いつまで」を具体的に数値にしないと、行動を起こせません。「いつでもいい仕事は、いつまでもやらない」のです。

締め切りという数値目標があれば、早く走り出せるし、仕事効率も高まります。結果、私を含めたみなさんが大好きな「自由時間」も増えます。しかも、締め切りどおりに仕事が仕上がれば、達成感が得られて、非常に気分がいいのです。

よく「急ぐ仕事は忙しい人に頼め」と言われますが、これも〝締め切り心理〟を逆手にとったものでしょう。暇な人には、時間がたっぷりあるため、どうしても行動が緩慢になり、仕事が遅いのが常です。他方、忙しい人は「いつまでに何を」と決めて仕事に臨まないと収拾がつかなくなるから、行動がスピーディです。非常に仕事が速いし、時間のやりくりもうまいのです。

つまり、暇な人は「目標ボケ」しているため、急ぐ仕事に対応できないのです。

2 すべての目標を数値化する

日産自動車CEOのカルロス・ゴーン氏は雑誌で「数値化できない目標は『実行できない』とイコール」とコメントしていましたが、私は先ほども述べたように「数値化できない目標は目標ではない」とまで考えています。

しかし、「でも私の仕事は、目標を数値化できない」と不満を持つ方がいるかも知れません。ご参考までに、「こうすれば数値化できる」という例をいくつか挙げておきましょう。

・積極的に異業種交流会に参加し、人脈を広げる

↓月に一度、その種の会に参加し、五十枚の名刺を配る。後日、選び抜いた十名に連絡をとって、内五名と懇意になる。

・新しく取り組む仕事の知識を高める

↓初ミーティングを控えた一週間に関連書籍を三冊読む。そのために隙間時間を見つけて、毎日一時間を確保する。その道のプロを二人見つけて、それぞれと三十分のミーティングをする。

・**気難しい上司とのコミュニケーションを深める**

↓一日に一度、上司を笑わせる。上司がゴキゲンになるネタを今週中に三つ集める。週に一度は一緒にランチする。

・**仕事の効率を高める**

↓時給二千五百円を目指す（月給が三十万円の人は実働二十日で日給一万五千円、一日八時間労働で時給一千八百七十五円というのが現状だとして、同じ仕事量を六時間でこなせば時給は二千五百円にアップするというような仮定をして試算する。時給が仕事効率の向上を示す数値となる）。

・**精度の高いマーケティング調査をする**

↓一日に十人、一カ月に二百人のインタビューを行う。

・**企画書を書く**

↓四十字×三十行のＡ４版用紙二枚にまとめる。

・**広報活動を強化する**

↓十五媒体にアプローチし、八のメディアで記事掲載を果たす。

・部下のモチベーションを高める
↓インセンティブを三つ、考え出す。一つにつき、経費は十万円を限度とする。
・〝しゃべり〟を上達させる
↓発言する前に、結論を三百字にまとめるトレーニングを行う。


どうでしょう、どんな仕事でも数値化できるように思えてきませんか？

こんなふうに目標を数値化することのメリットは、締め切りの例でもわかるとおり、目標がより明確になり、行動にハズミがつき、達成感を実感しやすいことにあります。

先の例で言うと、たとえば「人脈を広げる」ことを目標とする人が、数値化した目標を持っていないとどうなるでしょう？　たぶん、気まぐれに異業種交流会に顔を出す程度の行動は起こせても、名刺を配るだけの行為に終始すると思います。

しかし、「五十名に名刺を配って、後日、十名と連絡をとる」という数値化された目標がある人は、何が何でも五十人にアプローチする気持ちが高まることはもちろん、連絡をとる十名を確保するために、一人ひとりのパーソナルデータを集めなくてはという意識を強く持ちます。数値化した目標が、「結局、収穫がなかったなぁ」で終わる不毛な事態を防ぎ、目標達成に顕著な効果を発揮する行動を促すわけです。

こういう数値目標を、仕事の大小にかかわらず、あらゆるシーンで立てるといいでしょう。たとえば「日報を書く」というお決まりの仕事でも、「十分間で書く」とか「営業中に聞いた〝ちょっといい話〟を一つ書く」といった目標を設定して臨むのです。細かい仕事については、簡単に達成できる数値でけっこう。小さな達成感を得る、その積み重ねが自信につながります。

私は、仕事の能力というものは、たくさんの達成感に持ち上げられるようにして向上すると考えています。私が口をすっぱくして「夢を持て、目標を持て」と言うのも、それを達成したときの喜びが、次なる目標に向かうパワーに「リサイクル」されるからです。

生涯の夢に大きな目標の旗を立て、そこまでのプロセスにおいて大事な通過点に中くらいの目標の旗、この旗から旗の各区間に小さな目標の旗、さらに小さな目標の旗の間にもっと細かい目標の旗……こんなふうにたくさんの旗を立てるのが熊谷流なのです。これは言ってみれば「スタンプラリー」のようなもので、小さな旗をたくさん集めることが、仕事をする快感に結びつきます。

仕事に限らず、プライベートでも目標の数値化は有効です。たとえばダイエットなら、漠然と「痩せたい」と思うより、「八十kgの体重を三カ月で七十五kgに落とす」などと、目標を具体的な数字に落とし込んだほうが、ずっと行動計画を立てやすいし、意志堅固に実践できます。

また、マイホームの購入が目標の場合も、「あと五年で現在の貯金二百万円を六百万円まで貯めて、四千万円程度のマンション取得に乗り出す」というように、具体的な資金計画をもとに目標を数値化しないと、なかなかお金が貯まらず、目標の達成がズルズルと引き延ばされるだけです。

私自身、プライベートでも「週に一度、家族と食事」とか「月・水・金にマシントレーニングを二十分」、「本一冊を三十分で速読」、「カラオケの持ち歌を三曲増やす」といった具合に、目標を数値化して、楽しみながら夢に挑んでいます。

もちろん、目標を数値化したら、きちんと手帳に記入しておくことをお忘れなく！繰り返しますが、手帳に記した目標数値を常に見て、現実の進行状況と照合して誤差を認識することで、目標にどんどん近づくことができるのです。

私は常々、「習慣は人格をつくり、人格は運命をつくる」という言葉を標榜していますが、数値化した目標こそがいい習慣を身につけるための重要ポイントだと思っています。

3 「ポイントは何だ？」を口癖にする

私には口癖、というより、胸の内でしょっちゅうつぶやいている言葉があります。「ポイント、ポイント。ポイントは何だ？　今重要なこと、緊急なことは何だ？」というものです。こうつぶやくことによって、頭が一番重要なことに集中して思考できる環境を整えていると言っていいでしょう。

人の脳というのは不思議なもので、言葉で律してやらないと、勝手な思考を展開します。これはたぶん、私の脳に限ったことではないはずです。

たとえば、何か心配事や悩みがあるとき、あるいは何かの決断に迫られたとき、「どうしよう、どうしよう」という漠然とした思いだけが脳の回路を駆け巡り、何も具体的に考えられないことがあります。誰しも、経験をお持ちでしょう。

行動には結果がつきものですが、その結果が行動してみなければわからないだけにやっかいです。どうしても悪い結果を予測してしまい、本来ならいい結果を導くためにはどう行動するかを考えるべきなのに、頭は「困った、困った」の一点張り。具体的な行動が何も思い浮かばずに、鬱々とした気分で時間を過ごすことになります。

こういう状態を心理学では「自動思考」と称するそうです。本で学んだところによると、これはとくに気持ちが落ち込んだり、動揺したりしているときに、無意識のうちに頭の中をグルグルと回る考えやイメージを指す言葉とのことですが、私は逆に気分が舞い上がっているときの「自動思考」というのもあると考えています。

脳にいい考えが充満するのは悪くはないものの、頭が嬉しさでいっぱいになるゆえに、冷静な判断ができない状態を招く危険性もあります。

いずれにせよ、頭に対して〝放任主義〟でいると、物事のポイントを捉えた集中思考が妨げられます。私が読んだ本では、この種の問題への解決策として、「自動思考」に気づいたら、その考えが現実的に見て妥当な考え方なのかどうかを検討し、非現実的な部分を変えるよう努めることを勧め、「自動思考」に対して「本当にそうだろうか」と自問するところに解決の糸口があると書いてありました。

私はこの教えを応用して、「自動思考」が始まる前に封じてしまえばいいと考えました。というのも、課題が生じると同時に、頭に、

「ポイントは何だ？」

と指示すれば、脳は「自動思考」を始める暇もないままに、ポイントを考えることに

集中できるからです。「ポイント集中」と称しているこの思考方法を使うと、ムダなことを考えずにすみます。その効果は、たとえばこんなシーンで発揮されます。

・初対面の人と会うとき

「その人と会うポイントは何だ？」と考える。

そうすると、なんとなく人と会って、ムダな時間を費やすことを防げる。

・仕事でミスをしたとき

「大変だ、困ったことになる」とオロオロしそうになるところで「ポイントは何だ？　ミスを認めて、打つ手を考えることだ」とアタマに命じる。脳はハッと我に返り、「そうだ、善後策、善後策、善後策は何だ？」と思考モードを切り替える。どう行動すればベストか、という答えが自然と導き出され、ミスに対して的確な対応ができる。

パニックに陥ることを防ぐだけではなく、自分のミスを取り繕うための言い訳やムリな隠し立てを考えるなど、間違った方向の思考をシャットアウトするメリットもある。

・いい仕事が舞い込んできて気持ちが高揚したとき

「やるぞ、がんばるぞ」と勝手に盛り上がりそうになる頭に、「ちょっと待て、ポイントは何だ？　いい仕事を手中に収めたことか、その仕事を成功させることか？」と問いかける。

「チャンスを捉えて、成功へのプロセスを考えることが、今やるべきこと。すぐに計画に着手すべし」と、異常に高ぶった脳がクールダウンされる。だから、やる気が空回りするとか、情熱だけで無計画に突っ走る、といった事態を招くことはない。

・複数の仕事が錯綜しているとき

「あれもやらねば、これもやらねば」と焦る気持ちを抑えて、「一番急を要する仕事はどれだ？　重要度の高い仕事はどれだ？」と冷静に考える。

仕事の優先順位を誤ることはないし、一つひとつの仕事が中途半端に終わることもない。

・予想外のアクシデントに襲われたとき

頭にヘコんでる猶予を与えずに、「ポイントは何だ？」と指示する。

脳はただちに、現状にどんな影響があるかを分析し始め、どうすれば最小限の被害に抑えられるかを考え始める。

これらはほんの一例ですが、「ポイント集中」がいかに脳のマイナス思考や極端な躁状態を食い止めるかがおわかりいただけると思います。

実体がわからないものに対して根拠なく悩んだり、悪い結果を予測しては落ち込んだり、慢心から将来への「読み」が甘くなったりするのは、脳に対してあいまいな「呪縛」を課しているからです。ポイントを問いただせば、現実と真正面から対峙できるので、前向きな行動力を生み出すことが可能になります。

また逆に、成功に対しても「ポイント集中」は慢心を戒めるうえで、大いに貢献してくれます。それは、私が大きな目標としてきた株式上場を果たした時のことでした。それはもう大きな達成感があり、私は非常に満足しましたが、夜には舞い上がる気持ちが引き締められていました。

習慣というのは恐ろしいもので、私は知らず知らずのうちに、自らに、「嬉しい、それはいい。でも、夢はこれで終わりか？　これからのポイントは何だ？」と問いかけていたのです。

結果、私の頭の中で、夢に向かう第二ラウンドのゴングが鳴り響きました。そして、

「多くのお客様に、インターネットを広め、感動を共有し、笑顔になっていただく。結果として急成長して企業価値を高める。それが私の使命だ。上場会社の社長になったからといって、まだまだのうのうと暮らすわけにはいかない。行動計画をさらに煮詰めなくては」

と改めて気づかされたのです。

このように
「ポイントは何だ?」

を口癖にして「ポイント集中」を習慣化すると、仕事に、ひいては人生にプラスになる「いい自動思考」が生まれます。これが非常にいい習慣であることは、私が保証します。

4
あなたに解決できない問題は、あなたに起こらない

人は一生の間に、いろいろな問題に直面します。でも私は、解決できない問題はないと考えています。正確に言うと「自らが解決できる問題しか起こらない」のです。

人は、大きく分けて二つのタイプに分類できます。自分の身の回りに起こっている事実を「運命」と考えるタイプと、それを「自分の選択・責任」と考えるタイプです。

目の前で起こった問題を「運命」と捉えてしまう人は、その問題が大きいと「これは運命なんだから、私の手には負えない。解決できなくても仕方がない」と考えます。

一方で、目の前で起こった問題を「自分の選択・責任」と考える人は「私に解決できない問題は、私に起こらない。だったらこの問題も、私の対応一つで解決できるはずだ。私には、問題を解決できる力と責任がある」と前向きに取り組みます。

社員にも「私には、十兆円クラスの問題が起こったことはない」と言っています。私たちに起こる問題は、すべて「ちょっと努力が必要な」問題ばかりです。そのちょっとの努力をするかしないかの違いが、人の能力の大きな差として出てくるのです。

5

生涯、勉強！

二十年ほど前に、父と長野の温泉に行った時のことです。風呂場で父の背中を流していると、父が私に「動物と人間の違いがわかるか？」と問いかけてきました。「突然、何を言うのか」といぶかっていると、父は私の返事を待たずにこう言いました。

「人間は書物を通じて、人の一生を数時間で疑似体験できる。だから、本を読め。生涯、勉強し続けろ」と。

当時、私はちょうど、大学に進学した友人たちを見ていて「置いていかれる」という漠然とした不安を感じていました。それまで勉強らしい勉強をしてこなかった私は、「僕の知識はせいぜい、高校受験のために丸暗記した中学の教科書分の分量ってところだな。それに、今の仕事に追いまくられて暮らしていても、成長しないよ」と、後悔とコンプレックスと焦燥が入り混じった感情に囚われていました。

父は、そんな私の心を見透かしていたのかもしれません。私は父のこの言葉をきっかけにして、「がむしゃらに学ぼう。本をたくさん読もう」と決意したのでした。

以来、私はありとあらゆる本や雑誌を読む一方で、通信制の大学に通い始め、いろいろな勉強会にも積極的に参加するようになりました。「後継者育成セミナー」は、そんな勉強会の一つです。

このセミナーは、全国から集まった二世経営者たちをスパルタ方式で鍛え上げるものです。さまざまなプログラムがありましたが、私を大きく動かしたのは、

「学ぶとは、いかに自らが知らざるかを知ること」

という言葉でした。セミナーで、いかに自分が何も知らないかを思い知らされていた私にとって、これほど胸に響く言葉はありません。

私はさらに勉強への意欲を燃やし、いまなお手帳に書きつけたこの言葉を見ては、「勉強してやる、学んでやる」という気持ちを掻き立てています。

少々、前置きが長くなりましたが、私が「何をするにもまず、勉強」と考えて努力を続け、「生涯、勉強」を座右の銘に貪欲なまでに知識欲を追求している原点は、まさにこの時代にあります。学生時代を勉強嫌いで通した私が、社会に出て勉強は大切だと痛感したのですから、説得力があるのではないかと思います。

また、社会人になってからの勉強は、学生時代より格段に楽しいものです。十代の私は「志望校に合格する」ことだけを目標に勉強しており、その先に何をしようとい

うビジョンを何も持たなかったので、ことさらつまらなかったのでしょう。

その点、社会人になってからは、知識を得た先に、それを活かして何をするかというビジョンがあります。だから、楽しいのです。勉強の楽しさは、知識を身につけることではなく、知識を使うことにあると考えます。実際、社会人になって十年もたつと、「もう一度、大学に行きたい」という願望を抱く人は多いと聞きます。一通りの仕事を覚え、それなりの地位を得ても、さらにステップアップを目指す意欲があると、「学問的なバックボーン」が欲しくなるのでしょう。

また、仕事をしていると、「勉強には、こんなテーマもあったのか」と驚くことも多いため、「大学での専攻を誤った。復学してやり直したい」と考える部分もあるかもしれません。こういう学習意欲を持つこと自体は大いにけっこうではあるものの、その勉強が大学でしかできないと思い込むと不自由になります。

また、そこまで肩に力を入れずとも、勉強はできます。本屋さんに行けば、多彩なジャンルで専門知識をやさしく紐解いた本が並んでいますし、ネットにはあらゆるテーマのワークショップや講演会の案内が載っています。自分のごく身近なところに、師となる専門家がいる可能性もあります。勉強する意欲を持つと、そんな情報も簡単に手に入るはずです。学習機会を求めて、大いに勉強しようではありませんか。

6 勉強の種はいくらでもある

世の中には、「勉強したいことが何もない」なんて平気で言う人がいるようです。なんと、不届き至極な！　勉強のネタはそこらじゅうにころがっているし、そもそも「なりたい自分になる」という人生の目標に対して、やるべき勉強はいくつもあるはずです。

しかも、勉強をすればするほど、自分が何も知らないことに気づきます。その分だけまた、勉強の課題が増えます。勉強を始めたらもう、「これでおしまい」というところがないはずなのです。

私はたとえば、「人と会って、情報を上手に引き出す能力を持ちたい。人脈を広げるためには、コミュニケーション上手でなくては」と思えば、すぐに人間関係について書かれたビジネス書などを三〜五冊は読破します。赤ペン片手にポイントに線を引き、「なるほど、相槌を打ちながら、ちょっとした質問を挟むと、相手は気分よく話せるのか。興味のある話題を探し出して、そこに質問を集中するといいんだな。自分が相手のいいところを見て、その話に興味を持てば、自然とこういう相槌が打てるわけだ。やっぱり、一番大切なのは、相手に対して開いた心、誠実な気持ちを持つことなんだ」などと納得したりしています。

会話に関しては、「関西芸人のボケとツッコミの機微を学ぶのもいいかもしれない」と思い、テレビでバラエティ番組を見て研究したこともあります。

「勉強をする」と言うと、学校に行くとか、通信教育を受ける、ワークショップに参加する、といったことを連想する人が多いでしょう。学校生活が長いせいか、どうも「勉強＝教育を受ける」という意識が刷り込まれているようです。

もちろん、学校やセミナーに通うことは悪くはありません。むしろ、いいことです。立派な勉強です。

ただ私は、「勉強」という言葉は、「身につけたい教養を求めて行動する」ことのすべてを指すと解釈しています。本を読むことをはじめ、人と会って話したり、何かを体験したり、テレビを見たり、街を歩いたり、そういう日常の何気ない行動だって、そこに「何かを得たい」という知識欲があれば、それは勉強なのです。

以前、ある製薬会社に勤める人が、こんなことを言っていました。

「私の会社には、人々の健康に貢献するというビジョンがある。この目標を達成するためには、優れた薬剤を普及すべく営業スキルを磨くことも大切な勉強だが、自分が救命技術を身につける勉強も必要だと思った。もし、街で急病人に遭遇したとき、人工呼吸の一つもできないようでは、しょうがない。だから、消防署で救命トレーニングを受けて救命技能認定書を取得したし、今も一般人として協力できる範囲の知識を学んでいる」

こういうテーマの見つけ方は、とてもすばらしいと思います。目標は一つでも、そこに至るまでに勉強しなければいけないことは、いくつも見つかります。ようするに、意識の持ち方しだいと言えるでしょう。

私も会社経営やベンチャービジネス、インターネット等、仕事に直接関わる専門分野と、そこから広がる枝葉の部分——政治、経済、法律、金融、マーケティング、英会話などの勉強はもちろん、人づきあいや立ち居振舞い、ファッションに至るまで、日常から多くを学ぼうとしています。

7 一息おいてから、最短距離を一気に走る

私の思考の特徴の一つに「何事に対しても、すぐアクションに移すのではなく、まずそれを達成する一番効率のいい方法を考えてから、そのあとで素早くアクションに移す」というものがあります。これは「より早くゴールに突き進む」ためではなく「より早くゴールに到達する」ための考え方と言えるでしょう。私はあらゆる場面でこの考え方を実践しています。株式投資の例でもう少し詳しく紹介しましょう。

私は、若いころから今日に至るまで、株式投資をずっと続けています。本書は株式投資をすすめる本ではありませんが、私の経験から言うと、株について学び、投資することは、勉強になり、時に実益をもたらします。

私が株を始めたキッカケは、単純にお金がなかったからです。食費を切りつめ、最初は二十万円くらいからスタートしました。何をするにも元手がいるのですが、サラリーだけではお金は貯まらないと思ったからです。

そのためにはいろいろと勉強しました。株式の知識を身につけ、新聞を読んで情報

収集をして、精神力も鍛えました。株で勝つには人の心理を知ることも重要だと気づき、心理学も勉強しました。

ここで、投資になぜ、心理学や精神力まで必要なのかといぶかる人もおられるでしょう。でも実は、投資で成功するためには、人の心理が読める能力と、強い精神力が不可欠なのです。

株には人気投票の側面があるので、株価は人の心理に大きく左右されます。逆に言うと、大衆心理が読めれば、値動きが的確に予測できるわけです。

また、成功する投資家というのは、大半の人が株価の値下がりに怯えて必死に売っているときに安値で淡々と買い、大半の人が儲かるぞとどんどん買っているときに高値で淡々と売る、そういう力量を備えているものです。

「安値で買って、高値で売る」という株式投資の儲けのからくりは誰もが知っていることながら、これは並はずれてたくましい精神力を持っていなければ、なかなか実践できません。だから、投資家として成功するためには、精神力の鍛錬や心理学の勉強が欠かせないのです。

こんなふうに私は、一つの目標に対して何をすればいいかを考えるときには、すぐに飛びつくことはせず、一息おいてから、その目標を達成するための最短ルートを考えます。

株式投資でお金を増やしたいからといって、すぐに株を買うようなことはしません。あるいは、本をたくさん読むという目標を立てたなら、すぐに本を大量に読み始めるということもしません。まず一冊、速読術の本を読んで、速読術をマスターしてから他の本を読み始める方が、結果的に本をたくさん読むことができるからです。

何かを思い立ったら、すぐに行動したい衝動を抑えて、まず一息おく。そして最短のルートを見きわめてから、そこを一気に突っ走る。この考え方は、いろいろな場面で役に立つと思います。

8 刺激的な人物との出会いを積極的に求める

いい人生は、人とのいい巡り会いから生まれます。自分一人の努力だけでは、成功はほど遠いです。すばらしい人と出会い、いい刺激と教えを受けるから、自分自身を高めることができるのです。

私はそう考え、これまで出会ってきた方々に感謝しています。

私が人と会うことに積極的になったのは、会社を上場させて以降のことです。「上場企業の経営者」のイメージを具体的に膨らませたいと思い、世に「怪物経営者」として知られる方々にお目にかかりたいと、強く思いました。

そこで私は、フォーブスという雑誌の「日本資産家ランキング」に名を連ねる人たちに、片っ端から「会っていただこう」と決めました。もちろん、これを手帳の「やりたいことリスト」に加え、名前をメモしておきました。

すると不思議なもので、お会いできるチャンスが巡ってくるのです。新聞や雑誌、インターネットで情報収集をするときに彼らの名前が引っかかってくるので、講演会やセミナーなどの情報が目に留まるのです。

その情報がきっかけで、お会いできて、親しく交流するチャンスが得られた方も数多くいらっしゃいます。

まさに「念ずれば通ず」といいますか、強い思いを持って以来、私は「会いに行こう」と決めたほとんどの「怪物経営者」にお目にかかれました。自分からアプローチして面会をご快諾いただいた方、たまたま何かの席に呼んでもらい出会いが実現した方、さまざまなプロセスがありますが、いい出会いを呼び込んだのは私の信念だったかもしれません。

私がお会いしたみなさんに共通しているのは、やはり夢や目標を信じ、高いモチベーションを維持して、コツコツと努力をしておられることでしょう。

私は「怪物経営者」たちにお会いしたことで、ますます自らの体験――夢を実現する方法は正しいという確信を深めることができました。

いい出会いは、求めなければ実現しません。自分の夢、人生に大きな刺激を与えてくれそうな人を見いだし、積極的にアプローチして対面を果たす。それが自分の仕事へのモチベーションを高め、仕事術に磨きをかけるきっかけになるはずです。

何も一対一のコミュニケーションでなくたっていいのです。講演会などに出かければ、必ず、質疑応答の時間が設けられていますから、手を挙げて質問をするまでのこと。そうすれば個と個で話せる時間が得られます。また、その人の著書を通して、その人の生き方に触れることもできます。

大切なのは、人との出会いに刺激を求める気持ちです。「会って話を聞きたい」という熱意はきっと、相手に伝わるものです。また、人からあこがれられる人物というのは懐も大きいものです。アプローチする前に「自分となんか会ってくれないだろう」とあきらめることはありません。

また、あこがれの人との出会いは、それがそのまま勉強になるだけではなく、自分の夢や未来年表を考えるうえでも、大いに参考になります。もし「やりたいことリスト」を思う存分書き上げたはずなのに、どこか物足りなさを感じたら、刺激的な人、尊敬できる人に積極的に会いに行きましょう。

きっとその出会いが、あなたの知らなかった、気づかなかった「やりたいこと」を教えてくれるでしょう。

9

礼儀正しさに優る攻撃力はない

ビジネスの基盤となるのは、人間関係であると言っても過言ではないでしょう。MBAを取っていようが、いかにすばらしい知識と実力を備えていようが、人から受け入れられなければ、せっかくの能力も発揮できません。

いわゆるビジネス・マナーを身につけ、相手を尊重する気持ちから生まれる礼儀正しさをもって行動することが、ビジネスの基本。これができてはじめて、実力を発揮できます。

「礼儀正しさに優る攻撃力はない」

十五年ほど前、「ビジネスマンの父より息子への30通の手紙」（キングスレイ・ウォード著）という一冊の本にあったこの言葉に、私は大きな衝撃を受けました。

もちろん、礼儀正しさが大切なことは承知していたつもりですが、それを「攻撃力」という視点から見たことがなかったからです。

私はすぐに、手帳にこの言葉を書きつけました。そして思ったのです。

「何よりも礼儀を重んじて、会う人すべてに心を開き、自分を受け入れてもらおう。相手の気持ちを汲んで、不快な思いをさせないよう、行動しよう。そうして信頼関係を築かなければ、私はビジネスに見放される」と。

実際、社会に出てから、礼儀作法の必要性と重要性を、肌身に沁みて感じています。人が礼儀をおろそかにしたばかりに、事業に失敗していく様を幾度見たことか……。

振り返れば、私は幼いころ、祖母から礼儀を叩き込まれました。祖母は剣道師範の家柄の出だったこともあり、礼儀作法を非常に重んじる人だったのです。当時は、無作法なことをしては叱られるのがイヤでしょうがなかったのですが、今となってみればありがたいことでした。祖母には心から感謝しています。

また、礼儀作法を身につけるうえで、中学生のころに数多く、一人旅の経験をしたこともよかったように思います。多くの大人と触れ合う中で、さまざまな教えを受けることができたのですから。

少々、脱線しますが、私は小さいころから冒険好きで旅行好きでした。小学校低学年の時に、一人で電車に乗って母方の田舎、長野県小諸の先にある田中駅に行ったことがあります。

しかも、その時は一人でふらりと家を出て小諸駅まで、国道十八号線沿いをとぼと

ぼと十キロほども歩いて到着した……なんて冒険もしました。大人たちに、

「とんでもないことをする子だね。きっと大物になるよ」

などと驚かれるのが楽しかったし、そういう冒険が「なせばなる」という自信にも繋がったように思います。


この快感がクセになったわけでもないでしょうけど、中学生になった私は休みになるとヒッチハイクで日本中を旅行しました。財布に一万円を入れて北海道に向かうのですから、電車や飛行機には乗れません。宿泊は言うまでもなく、ユースホステルです。


当時、ユースホステルを渡り歩きながら一人旅をする中学生はあまりいませんでした。私は当然、どこへ行っても最年少です。祖母に礼儀作法を鍛えられていたとはいえ、大人社会のマナーにはまだまだ習熟していません。宿泊仲間である大人たちは、ともに掃除をしたり、レクリエーションを楽しんだりする中で、ともすれば行動の配慮を欠く私を、遠慮なく叱ってくれました。

「札はたたんで出すんじゃねぇ！」

「能書きばっかり、たれるな。男は不言実行だ」

「お前が掃除をさぼれば、みんなが迷惑するんだぞ」

「ふくれっ面をしてると、周りが不快になる。いつも、ニコニコを心がけろよ」
叱られるたびに私は、礼儀で成り立っている人間関係の機微のようなものを学んだ気がします。

閑話休題。日本の学校教育が知育偏重と言われて久しいですが、近ごろとくに、マナーがなっていない人が増えたと感じるのは私だけでしょうか。仕事術を云々考える前に、礼儀作法を覚えることも重要課題だと思います。

私は社員に対して常々、「礼儀はカタチから入り心へ通じる」と言っています。合言葉は、

「大きな声で挨拶しよう。元気が出てくる」
「笑顔をつくろう。心が楽しくなる」
「人に礼儀を尽くそう。尊敬の念がわいてくる」

の三つです。

挨拶と笑顔と礼儀というカタチが、その人の心をつくっていくのです。

10

人に感謝できない人は、利害でしか人とつきあえない

礼儀と同様、感謝の気持ちを持つこともビジネスの基本です。というより、人として生きる基本です。私はこれを、二十代前半の苦しい時期に学びました。

忙しさに心が押しつぶされそうになっている私を、父も見かねたのでしょう。あまり話す機会のない息子のために、「人生の家庭教師」をつけてくれました。その師は、関ヶ原にある悟空寺というお寺の僧侶、手塚純真先生です。

先生は月に一～二回、会社に見えて、私にさまざまなお話をしてくださいましたが、決まって話題にされたのは、

「人に対して、本当に感謝できるか？　しているか？」

ということです。

正直に白状すると、このころの私は「感謝の気持ちなんて持てない」状況でした。しかし、「全人」を人生の目標として掲げる以上、心のあり方を変える必要があることは自覚していました。ともすれば人を妬んだり、自分の苦しさを他人や世の中のせい

にしたりしがちな自分の心を変えなければ、私は成長できないとも思っていました。ただ、具体的にどうすれば、自分が変われるのかが、実はわかっていなかったのです。手塚先生と話すうちに、その第一歩は感謝の気持ちを持つことにあると明確に理解したように思います。当時の私の手帳には、次のようなメモが記されています。

・(運の)つく人は人相がよい。明るい。あたたかい。人を責めない。はつらつとしている。感謝、早起き、明朗。
・明朗でない人は、心に雑物が入っている。(いやな思い、憎しみ、苦しみ)これを除くには、心を最初から整理する必要がある。
・最初に親への恩・感謝意識。親への恩・感謝意識がある人は、人を大切にする。ない人は、利害で人とつきあう。
・命の恩を感じる。父と母の目で感じる。願いに対して、どれだけ応えたか。
・父が素っ頓狂なことを言っても、「はい」と答えろ!

これらの言葉に、とくに解説は不要でしょう。先生のご指導を得て、私は努めて、人に感謝するという習慣を身につけました。

感謝の気持ちというのは自然な感情のあらわれなので、「努めて」得られるものではないとお思いの方もおられるでしょう。しかし、私は逆に、努力をしなければ感謝する心は得られないと考えています。

というのも、人の心は放っておくと、すぐに否定的な感情に浸ってしまうからです。たとえば、誰かにちょっとイヤな思いをさせられたとします。すぐに相手を嫌いになったり、苦手意識を持ったりしてしまいます。それが心の自然な流れでもあります。ただ、そうなるとまず、感謝の心が消えていきます。その人の顔を思い出すだけで、憤りや欲求不満がこみあげてきて、心の平穏が乱されるのです。私が「努めて」と強調するのは、そうならないためには、自然な流れを食い止める努力を要するからです。

何も努力と言っても、さほど難しいことではありません。イヤな思いをさせられた理由が何であれ、そこから学ぶべきものが何かあるはずです。ムリヤリにでもそれを見つけ出し、「教えてくれて、ありがとう」と思えばいいのです。

皮肉を言われても「ご指摘、感謝します」。ウソをつかれても、「私を傷つけまいとの気遣い、感謝します」。気まぐれな扱いを受けても、「私に甘えてくれたこと、感謝します」。そんな具合に、人の行動を自分にとってメリットがあると解釈すれば、腹も立ちません。ようするに、人の欠点をあげつらうのではなく、よい面だけを見る習慣ができれば、心は自然と感謝するようになるのです。

と同時に、こちらが感謝の気持ちをもって接すると、相手も変わります。誰だって、自分を受け入れてくれる人に対して、悪い感情を抱くはずはありません。「私はあなたが好きですよ。出会えたことを感謝しています」という気持ちで接するから、相手も心を開いてくれるのです。

警戒心や不信感をもって人に接すれば、その感情がストレートに相手に伝わり、いい人間関係が構築できないことは自明の理です。

みなさんも経験されているように、人に感謝をすればするほど、心の平安が深まります。どんなに過酷な状況にあっても、いつも冷静でいられます。何が起きようと、すべてに感謝をしていれば、問題は自ずと解決するものです。

私は何事にも感謝をする気持ちを持ったおかげで、多くの方とおつきあいさせていただけたし、彼らから刺激や協力を得てビジネスを大きく成長させることもできたのだと思っています。

感謝の気持ちから心のあり方を変え、出会ったすべての人とともに前向きに生きるパワーを創造する——私のこの〝心のプロジェクト〟は、ある意味でコストゼロでありながら、計り知れないリターンを生み出す仕事術と言えるでしょう。

私の情報収集&情報整理術

三種の神器で情報の達人になる

1 メモ魔のすすめ

「いちいち書くな！　頭で覚えろ！」

私は二十代のころ、父によくこう叱られたものです。

私は、父を事業家の師匠と仰ぎ、何でも従ってきました。でも、メモをとる習慣をつけるという一点に関しては、父に従わなくてよかったと、今でも思っています。

私の手帳には、夢だけではなく、対人関係を中心とする日々の言動のすべてが要約して記録されています。周囲から「メモ魔」と呼ばれるほど、私はしじゅうメモをしているのです。

なぜなら、仕事でもプライベートでも、人と話したこと、人から教えられたことを記憶しておけるほど、私は頭のいい男ではないからです。

頭で覚えられない以上、手帳に記憶していただくしかありません。そうすると、人との約束や、やるべきことを「うっかり忘れた」なんてことはなくなりますし、人から「そんなこと、言ってませんよ」とか「そんな話、聞いてません」などと言われても、「いや、たしかに言った」と確信をもって言えます。ときには「そんなことまで覚えていてくれたんですか」と感激されることもあります。

また、私の手帳には、人から聞いてポストイットに記録したいい言葉がいっぱいスクラップされています。これらすべてのメモが、何らかの形で目標に向かう私をサポートしてくれているのです。

人は毎日、誰かとコミュニケーションをとっていますが、話の内容を忘れてしまうことが意外と多いのではないでしょうか。

そのために「言った、言わない」の争い事が頻繁に起きます。約束を失念して人に迷惑をかけます。やるべきことを忘れて物事が遅滞します。何度も同じ人に同じ質問を繰り返します。せっかくいいアドバイスや仕事のヒントが得られても、実践する機会を失います。あいまいな記憶のせいで話に行き違いが生じます。そう、さまざまな弊害が生じるのです。

人の肉声というものは大半が、話している時には「覚えている」つもりでも、いずれ日常の雑事に紛れて、頭から跡形もなく消えてしまう運命にあります。喫茶店などでは、「水をください」の一言を今聞いて、「はい」と返事すると同時に忘れてしまうウェイトレスさんも少なくありません。それほど、耳から入った人の言葉は、忘れやすいのです。

だからこそ、文字にして〝別の頭〟、つまり手帳に残しておく必要があります。人と話をするときは誰でも、メモを取るべきだと思います。どんなにその人の頭がよくても、話の内容をずっと正確に覚えていられるとは考えにくいし、そもそもメモをとらなければ、人の話を聞く気持ちがないのではないかと疑われてしまうかもしれません。人生に対して不真面目過ぎるのではないかと思われるかもしれません。

また、メモを取るというとすぐに「仕事」と結びつけて考える人もいます。これも間違いです。手帳と同じ考え方なのですが、メモだってあなたの「仕事」だけでなく「人生」をサポートしてくれるのです。

私は、よくコミュニケーションをとる人物、私の人生にとって重要な人物については、思考手帳の中に「項目別ファイル」として人ごとに手帳のページを立てています。そこには、「母」という項目も用意してあります。

このページには、右肩に「母」とインデックスを書いて、日付を見出しにして話したことを箇条書きにしています。そして母に電話をする時、私はこのページを開いて、前回の記述を参照しつつ、

「風邪をひいたって言ってたけど、その後どう？　よくなった？」

と尋ねたり、チェックボックスを書きながら、「誕生日に食事に行こうよ。何が食べたい?」と聞いて「しゃぶしゃぶ屋を予約」とメモをしたりしています。「家庭」の夢を達成したいから、こんなマメさも発揮できるのです。

いい人生を歩みたい人は、目標に向かってやり残しがないように行動したいから、やるべきことを忘れないように、きちんとメモをとります。自分を成長させたいから、感銘を受けた言葉をいつでも見られるようにメモしておきます。

それと同じくらい、人との関係を大切にしたいから、約束を守るべくメモをとることも大切なのです。

人生と真摯に向き合っていれば、「大事なことを忘れてはいけない」と思い、自然とメモをとる手も動くというものです。

私は、メモをとる習慣が自分の「人格」をつくり、「運命」をつくってきたと信じています。ですから「メモ魔」になることは、仕事術の最重要項目と言っても過言ではないでしょう。

2

一件につき、一リフィルにまとめる

メモも、ただ書き殴ればいいというものではありません。あとで読み返すことができてこそのメモです。読みづらいメモでは役に立ちません。また、項目を整理しないままに書き込んでいくと、目的のものがどこにあるのか、なかなか見つかりません。その結果、該当個所を探すのに時間を食い、仕事の効率が悪くなるのです。

そこで、メモのとり方についても基本をマスターしましょう。

まず、手帳におけるメモのとり方としての大原則は「一件につきリフィル一枚」です。一つの案件についてのメモは、一枚のリフィルにまとめる必要があります。普段からそう心がけていれば、重要なポイントだけ的確にメモをするクセもつくし、あとで読み返すときに大変探しやすくなります。

さて、この一件一リフィルを実行するためにも、やはり手帳の大きさはバイブルサイズがふさわしいと思います。なぜなら、それよりも小さいとリフィルも小さくなり、一件一リフィルが実行できないからです。逆にＢ５サイズくらい大きい手帳で一件一リフィルを実行しようとすると、空白だらけになってリフィルがもったいないです。
また、私はパワーポイント（Power Point）などのソフトで作った資料を縮小コピーして手帳にスクラップしたりしていますが、この縮小コピーも、実用に耐えるギリギリの大きさが、このバイブルサイズだと思います。

さて、手帳のページをめくったときに、すぐに目的のメモを探し出せるような工夫も必要です。私はリフィルの右隅に、インデックスとなる文字を縦書きで記しておきます。自分がわかればいいので、インデックスはマーケティングのミーティングならば「マーケミ」、幹部とのミーティングならば「幹ミ」という具合に、言葉を簡略化したタイトルで十分です。

おそらく、一冊の手帳の一ページ目から順番に、何の案件であろうとかまわずアットランダムにメモしている人は、「どこかにメモしたはずなのに」と懸命にページをめくっていることがよくあるのではないでしょうか。「目立つように、インデックスがわりに文字を丸で囲んでおいたのに、手帳を三回見直してやっと見つかった」なんて話は珍しくありません。

必要な情報を瞬時に見つけるこういう工夫も、記憶を全面的に手帳に頼るうえで、非常に重要なことです。ぜひ参考にしていただきたいと思います。

3 情報収集三種の神器「夢」「赤ペン」「比較」

私はいろいろな人から、「いつ、どんなふうに情報を集めているのか」と尋ねられます。けっこう忙しい身なので、スクラップ記事がいっぱいファイルされて大きく膨らんだ手帳を見ると、いつこれだけの情報を整理しているのかと不思議に思われます。また、何かの話をしていて「やけに詳しいな。どこで情報を仕入れてるんだ？」という疑問を持たれたり、必要な資料が手帳からスッと出てきて驚かれたりもします。

しかし、私は何も、特別なことはしていません。情報ソースは大半の方と同様、新聞、雑誌、書籍、インターネットで、私専属のデータマンを雇っているわけでもありません。もちろん、出会った多くの方が私の見識を広げる手助けをしてくださいますが、ブレインを集めてウンヌンカンヌンする機会がそれほど多いとも思えません。

しいて言えば私は、情報収集をするためには三種の神器が必要だと考えていて、それを常に持ち続けています。それは「夢」「赤ペン」「比較」です。この三つさえあれば、無数の情報から宝の山を探し出すことができます。

一つ目の神器は「夢」です。

「情報は量ではない」と、よく言われます。では「質である」と、締めくくっても良いのでしょうか。私は、そう思いません。もし、将来一流の寿司職人になりたいと思っている人に、世界的に評価の高い為替に関するレポートが集まっても、その人にとってはあまり有用な情報だとはいえないでしょう。

自分にとってのいい情報を収集するために一番必要なものは、「夢」や「目標」から逆算した「目的意識」ではないでしょうか。これがなければ、どんなに質の良い情報も、その人にとってはゴミ同然でしょう。

私の場合は、夢や目標が頭に叩き込まれているので、自分がどんな情報を求めているのかが手に伝わってきます。たとえば新聞の記事を見ると、勝手に赤ペンが動くのです。ときどき「どうして、この記事をスクラップするんだろう」と自分でもよくわからないことがありますが、たいていは後で、夢のために必要だったんだとわかります。記事によって、潜在願望が顕在化されるのです。

夢や目標、テーマをもって行動していると、必要な記事を見落とさないものです。「何か調べ事をしていると、ラッキーにも新聞に関連記事が続々と掲載されるんだよ」なんていう人もいますが、それは「新聞がたまたま、調査テーマと合致する内容の記事をたくさん載せた」のではありません。読み手の情報収集テーマへの意識が、記事をキャッチしているのだと思います。逆に、「ひっかかる記事が少ない」と言う人は、夢も目標も学習テーマもなくノホホンとしているなと、自分で反省してください。

二つ目の神器は「赤ペン」です。

これは普通の赤ペンでかまいません。私は本や新聞を読むとき、必ず赤ペンを手にしています。そして、気になる箇所やポイントにラインを引きます。こうすると、集中力が高まり、ポイントが素早く理解できます。

もちろん、ラインを引いたりメモした箇所は、あとでスクラップしています。私の過去のスクラップのファイルを積み上げると、会社に保管してあるファイルだけでも三十メートルを超える高さになります。

三つ目の神器は「比較」です。

昔から「比較は知恵の始まり」と言われています。情報を整理し、比較検討すると、自ずと知恵がわいてくるものなのです。もちろん、この時にも「夢」や「目標」がなければ、何のために何を比較してよいのかもわからなくなってしまうことは、言うまでもないでしょう。

有用な情報は、夢と赤ペンを持ち、比較に時間を割いた人に、集まるものなのです。

4
新聞は、まず「見る」そして「読む」

情報の集め先として私は、「新聞」「雑誌・書籍」「インターネット」というソースを頼りにしています。それぞれの見方・読み方にもコツがあります。

まず新聞ですが、私は「新聞にはすべての情報がある」と思っています。これは父から教わった言葉で、本当にそうだと実感しています。

新聞には、何千、何万人もの新聞記者が世界中を走り回り、「足で得た情報」が満載されています。人海戦術で集めた情報量は、テレビや雑誌に勝るとも劣らないものです。電波全盛のご時世とはいえ、いまだに「第一報は新聞」という情報は多いし、余計な憶測や情緒的な記述がない分、事実を端的・正確に知るのに適しています。

私の購読紙は、二十代のころから毎日欠かさずにチェックしている日本経済新聞、日経産業新聞、日経流通新聞と、上場してから読み始めた日経金融新聞の四紙です。実に「仕事チック」な顔ぶれ！　朝日や読売等の一般紙を購読していない点は、一風変わっているかもしれません。

これら四紙を、私は朝六時に起きるとすぐに、床に広げて読み始めます。読み方にも独特の姿勢があって、まずヒザをついて床にすわり、ちょっと屈んだ姿勢で赤ペン片手に活字を追うのです。ミソは、新聞を読むときのこのスタイル。ある程度の距離をおいて新聞を「見る」ためです。新聞の見開きページに記載されているすべての記事がパッと目に入るので、私にとって重要な記事を見落とす危険が少ないわけです。

そしてざっと見て、気になった記事を赤ペンで囲い、先ほどの姿勢のまま、その記事をじっくり読みます。そして、読んでとくに重要だと思った記事は、余白に日付を記入して、その記事をページごと切り取ります。切り出した記事は手帳サイズに折って、リフィルに貼り付け、ちょっと時間があいたときなどに、何度もじっくり読み返すようにしています。このときも右手には赤ペンを持ち、大事なところに丸をつけたり、線を引いたりしています。

広告ページも、同じ要領で目を通します。とくに本の広告は、「読みたい!」と思った本の記事を赤ペンで囲み、「購入」と記載して、やはりページごと切り取ります。

これら切り取った新聞の断片を、秘書さんに処理してもらいます。つまり、必要な記事だけをきれいにカットし、「購入」と書かれた本をアマゾン(Amazon.co.jp オンラインストア)に手配するようにお願いしているのです。

5 雑誌・書籍の空白は有効なスペース

雑誌については、現在定期購読しているものが、金融とウェブ関係の雑誌を中心に三十誌ほどあります。雑誌は新聞と違って床に広げられないので、最初に目次を読んで、見出しで引っかかった記事だけを読むようにしています。

もちろん、片手には赤ペンを握っているし、重要な記事は新聞と同様の方法で手帳にファイルします。

書籍は、未来年表に書いた夢や目標を達成するために必要だと思われるテーマの本を、片っ端から買っています。仕事が忙しいので、注文はもっぱらアマゾンです。

おもに、新聞・雑誌の広告や書評欄を見て「これは勉強したいテーマだな。興味のある分野の話だな。欲しい情報が詰まっていそうだな」と思ったものをオーダーしていますが、ときには「こんな本がないかな」とネットで検索して買うこともあります。

最近の例で言うと、速読術の本なんていうのを、わざわざ検索して購入しました。

私はとにかく、たくさんの本を読みたいので、この種の本が「読む効率を向上させる」

目的で必要なのです。

二十代のころに設定した「速読術を身につける」という目標はいまだクリアしておらず、いまなお研究を続けています。

ただし、本を買うときはいつもアマゾンを利用しているというわけではありません。自分の足で「本屋に行く」ことも大切だと考えています。というのも、新聞などの広告には掲載されない多くの本の中にも、私が必要とするいい本は無数にあるからです。できるだけ時間をあけて、二週に一度くらいは本屋さんに足を運びたいので、定期購読をしている雑誌を宅配ではなく「本屋まで取りに行く」という入手スタイルを採用しているほどです。

本屋に行くと私は、棚から棚へと渡り歩きながら、これと思ったものは悩まずにポンポンと買っていきます。

言うまでもなく、私は本も、赤ボールペン&シャープペンシルを片手に読みます。重要なところに赤ボールペンで線を引き、本の一文から思いついたアイデアや生じた疑問をシャープペンシルでメモするためです。ですから、私の本の背表紙や余白はメモだらけです。

格言のような短い一文なら、必要に応じて、ポストイットに書いて手帳に貼ることもありますし、「ライバルに負けるな」とか「開かれた心を持て」といった項目の一ページに、数行の文章を書き写すこともあります。

おかげで、自宅の一室を書庫とする私の蔵書はどれも、線だらけになっています。背表紙やページの余白はメモでいっぱいです。これは、学生さんが教科書に線を引いたり、余白に先生の言葉をメモしたりして勉強するのにも似たスタイルと言えるでしょう。

単に文字を読むのではなく、こういう「書く」という行動があるから、「感動した内容はたいてい、いつでも思い出せる」状況を作りだすことができるのだと思います。重要な情報が脳に強烈にインプットされる分、記憶中枢に残りやすいのです。

私は会社から家へ電話をして、「○○ジャンルの棚にある××という本を見て、赤線が引いてあるところを読んでくれ」などと頼むこともできるくらいです。

6 インターネットは効率も効果も高い情報収集ツール

インターネットも、大事な情報収集のツールです。インターネットは情報の宝庫ですから、瞬時にして、さまざまな情報を引き出すことができます。

ふとわいた疑問にその場で答えてくれるし、何かを分析して考察したいときには大きなヒントとなる情報を提供してくれます。仕事の効率化に寄与する、これほど便利な情報ツールはほかにはないでしょう。

また、私は数十誌のメールマガジンも購読しています。インターネットでキーワードを設定すると自動的にクリッピングしてくれるサービスも利用していて、その時々に必要な情報をウェブサイトから集めることもしています。

それから、メーリングリストも「ある特定の情報や知識を持った方」を探し出してご指導いただくときに重宝しています。

メーリングリストとは、一つのメールアドレスに送るだけで、メンバー全員にメールを送ることができるサービスのことです。友達や仕事仲間、家族、取引先等で情報を共有するときに無料に使えるものです。

何か知りたいことや頼みごとがあるときなど、「知っている方、教えて」とか「協力者、この指止まれ」といったメールを打つと、たちどころに欲しい情報が手に入ります。たくさんの人にお伺いの電話や手紙を出す手間が省けることはもちろん、通常のメールで宛先やcc欄に何十人ものアドレスを打ち込む必要もなく、情報収集にかかる時間を劇的に減らすことが可能です。

インターネットが普及した現在では、場所と時間を超えて一度に大勢の人にアプローチできて、しかもコストゼロのこのメーリングリストは脚光を浴びています。

話が少々脱線して恐縮ながら、私は実は数年前に、「メールは将来のインターネット最大のプッシュ・メディアになる」と信じ、この領域で圧倒的ナンバーワンになる決意をしました。そこで最初に、日本最大のメールマガジンスタンド「まぐまぐ」を経営する大川弘一会長とご相談して、「まぐまぐ」の広告営業を行う「まぐクリック」という会社を設立し、社長に就任しました。

次に目をつけたのが、ほかならぬメーリングリストのサービスです。なかでも「FreeML」というサービスがすばらしいと考え、私は創業者である天才技術者・河野吉宏氏と、「FreeML」をインキュベートしていたネットエイジの西川潔社長にお願いをして、ＧＭＯが出資して「FreeML」をＧＭＯグループのメールメディアとして育てることにしました。驚いたことに、「FreeML」は予想以上に速いスピードでユーザーのご支持をいただき、日本はもとよりアジア最大の無料メーリングリストサービスに成長しています。そういう経緯があるので、宣伝するわけではありませんが、私が利用しているのはもちろん、「FreeML」です。

話を情報収集に戻しましょう。一昔前なら何かを調べるといえば、図書館や本屋に行ったり、新聞の縮刷版をめくって数カ月〜数年分の記事の中から目的のものを探したり、けっこうな時間を要しました。それが今では、インターネットのおかげで、わずか数分の〝チョイの間仕事〟になっています。情報を探していた時間がそっくり、ほかのもっと重要な仕事に回せるのですから、インターネットを使いこなすことはもはや、仕事術の重要ポイントの一つであることは間違いありません。

私自身に関しては特に、インターネットの魅力に触れたことが「すべての人にインターネット」をコーポレートキャッチとする今の仕事につながっているのですからなおさらです。草創期からインターネットを情報収集ツールとして大いに活用している私にとって、「より利便性の高いサービスを提供しつつ、インターネットの世界とユーザー層を拡大していく」ことは、自分の使命であり、運命でもあると思っています。

ただ、インターネットにも難点はあります。ネット上にはじっくり読みたい内容のホームページが豊富にあるものの、いかんせん、線を引いたりメモをしたりすることができません。画面の文字を目で読むだけなので、紙媒体のようには情報が頭に侵入してこないのです。そうなると、記事をプリントアウトするしかありません。「思考する」仕事に関わる情報は、インターネットとて〝紙化〟するのがベストでしょう。

以上が、私の情報収集術のアウトラインです。大事なことは、赤ペンなどのアナログと、インターネットなどのデジタルとを、うまく組み合わせて使うことです。赤ペンを持つと、情報に対する集中力が高まり、ポイントを素早く理解するのに役立ちます。と同時に、思いついたことをその場でメモできますから、「いい考え」が頭のなかから消えません。

私は二十年以上にわたってこの作業を続けており、スクラップファイルは積み上げると三十メートルの高さになるほど。赤ペンで収集したこれらの情報はいまなお、私の人生の師であり、夢を具現化してくれる〝打ち出の小槌〟でもあります。

そして、インターネットは情報収集のスピードアップに大きく貢献するものです。

現代ビジネスマンは、アナログとデジタルの二本立てで情報収集することをすすめます。

7 情報整理の三種の神器「手帳」「パソコン」「A4ファイル」

さて、「情報収集」の三種の神器と同様に、「情報整理」についても三種の神器が別にあります。「手帳」「パソコン」「A4ファイル」です。手帳についてはすでに本書で述べていますし、パソコンの利便性もいまさら私が申し上げることは少ないので、ここではおもに、A4ファイルの効能についてご紹介しましょう。

情報整理のコツはいろいろあると思いますが、私が一番重視しているのは「情報整理はサイズの統一から」という鉄則です。カタチが不揃いの情報は、その時点で整理が困難になるからです。ですから私は、情報媒体としての紙のサイズをバイブルサイズとA4サイズの二つだけに統一して、それぞれを手帳とA4ファイルに収めて整理しています。

バイブルサイズについては、これまでもたびたびその利便性を述べてきましたので繰り返しません。ではA4サイズですが、なぜこのサイズに統一したのかというと、A4サイズが、現在の世の中で出回っている文書のスタンダードサイズだからという単純な理由からです。

「情報整理はサイズの統一から」という鉄則を厳格に遵守するのであれば、本当は手帳もA4サイズのものを使うべきなのかもしれません。しかし、持ち運びのことなどを考えると、やはり手帳だけはバイブルサイズに限ります。

だから私は、A4サイズのものはA4ファイルにとじて管理し、手帳にA4サイズの資料などを加える必要がある場合には、縮小コピーをするか、あるいは設計会社の地図の折り方の要領で、手帳のサイズに折り畳んで収納することにしています。

このようにして私の資料は、A4サイズのものか、手帳のリフィルのサイズであるバイブルサイズのものしかありません。情報を整理・コントロールする上で、こういったフォーマットの統一は大変重要です。

もちろん、A4ファイルの中も、きちんと整理しておく必要があります。後になって資料を探そうとしたときに、すぐに出てこなければ大変時間のロスになります。

ですのでA4ファイルにとじるときも、それぞれの項目にインデックスをつけて、クロスリファレンス、つまり、時系列でも、案件からでもひける状態にしておく必要があります。十年前の資料でも、すぐにトレースできる状態が望ましいでしょう。

情報整理は、デスクも頭もすっきりさせるようにしましょう。

私の時間創造術

時を味方につければ、仕事も人生もうまくいく

1 時間効率を大幅アップする私の「秘策」あれこれ

二十一歳で夫、父親、学生、社会人という一人四役の生活を送っていた私は、大変忙しい毎日を送っていました。仕事は朝八時半から夜中の十一時半、十二時というのが当たり前でした。そして、たまに早く帰ろうとすると、父が、

「そこの銀行を見て来い。一流大学を出た人たちは、まだまだ遅くまで働くんだぞ。お前は頭が悪いんだから、彼らより長く働かなきゃダメだ」

なんて言って、私を叱りました。本当に銀行まで見に行ったら、親父の言うとおり。エリート銀行マンがひしめくそのビルには、煌々と灯りがついていて愕然とした、という思い出があります。自分よりも仕事ができる人が、自分よりも時間を使っていたら、これはもう逆立ちしても勝てないでしょう。

誰もが等しく持っているものの一つが「時間」です。寝ている八時間と、働いている八時間を除いた、残りの八時間の使い方が、その人の「差」になると私は考えています。私は、残りの八時間は、自分の夢の達成のために「仕事」に費やしています。

もし「ビジネスマンの口癖ベストテン」なる統計をとってみると、「忙しい」「時間がない」という言葉は、おそらくトップにランクインするのではないでしょうか。現代社会には、「暇だなんて言うと、恥ずかしい」風潮すらあるようです。

かく言う私も、夢実現に向かってやるべきことが山積しており、毎日がとても忙しいし、いくら時間があっても足りないくらいです。

ただ誰かに「忙しい」「時間がない」とグチをこぼすようなことはありません。そんなことをしている暇に、何らかの行動ができるからです。「時間がない」ことを嘆くより「どうにかして時間をつくろう」と工夫するほうがずっと重要だと思うのです。

私はとにかく、時間のムダ遣いが嫌いです。風呂に入るときも、シャワーの水がお湯になる間すら、じっと待っていられません。だから、シャワーの栓をひねってからトイレで用を足し、服を脱いで浴室に入ります。「水のムダ遣いだ」と叱られそうですが、お湯になるまでの水は私がそばにいようがいまいが、どのみち使いようがなく流される運命にあるわけです。「時間のムダ遣い」のほうこそ、「もったいない」と私には思えます。

そういう些細な行動の積み重ねが、私の「時間をつくる工夫」につながっています。以後、時間効率の向上にはかなりうるさいと自認する私の時間節約術を紹介します。

2 「ながら」行動を多用する

「時間をつくる」ために私がしている工夫の中でも、最も特徴的なのが、「ながら」行動を多用していることでしょう。私は可能な限り、複数の仕事を「ながら」、つまり同時進行で処理するようにしています。

といっても、組み合わせは「考えなくてはできない仕事」と「考えなくてもできる仕事」。いかに「ながら」が得意な私でも、「会議をしながら、勉強の本を読む」とか「原稿を書きながら、経営計画を練る」なんて芸当はムリです。「ながら行動」とは言い換えれば、何も考えずに過ごす時間をなくすための行動と捉えていただくといいでしょう。

なかでも私が「ながら」行動に利用しているのは、移動の車の中です。目的地に着くまで、ボーッと車窓を流れる街の風景を眺めているとか、ドライバーや同乗者と世間話をしている、なんてことはまずありません。

幹部を車に同乗させてミーティングをする、携帯電話のＦＯＭＡを使って幹部と〝電話会議〟をする、重要なメールに返信をする、仕事に必要な書類や本を読む、手帳を整理する。車という静かな個室では、できることがたくさんあります。たまに車を寝室がわりに使うこともありますが、それだって睡眠不足を補うという、私にとっては大切な〝仕事〟です。

都内近郊の移動にはすべからく、車を使うのも「時間をつくる」ためです。同じ場所に向かう社員がいても、ミーティングの必要がない限りは別々の車で移動し、車内を「一人で集中できる空間」にしています。

つまり、私は「仕事をしながら移動をする」のが習慣なのです。

また、車で移動すると、約束の時間より早く着いても、困りません。「まだ時間があるから、お茶でも飲みますか」というような暇つぶしの行動とは無縁でいられるのです。

もっとも、私は待つために時間を費やすことが嫌いなので、時間の余裕をもって出かけることはほとんどありません。常に「ジャスト・オン・タイム」を目指して出発し、車を降りる直前まで仕事をして、目的地へ駆け込むのが常です。

遅刻はよくないので、余裕をもって出かけることが悪いとは言いませんが、そういう人は早く着いた場合に備えて仕事を持って行くといいでしょう。仕事をしながら、暇つぶしができます。

ともあれ、ビジネスマンにとって、移動という仕事は「ながら」行動をすれば、実に有益に過ごせる貴重な時間なのです。

なかには「何もせずに移動したって、仕事時間としてカウントされるし、仕事をしながら移動したって給料が増えるわけではないんだから、そこまでする気になれない」と言う人もいるかもしれませんが、そういう人は目標に向かう問題意識が希薄過ぎると言わざるを得ません。ただ移動するだけの仕事にお給料を支払っている会社経営者をお気の毒にも思います。

日ごろ、「忙しくて時間がない」と言っている人がよもや、こんなにレベルの低い意見をお持ちだとは思いませんが、時間に対する意識をもっと高く持ち、移動時間を大いに活用して欲しいところです。

また、私は土・日もたいてい、自宅で仕事をしています。仕事をしながら休日をとっているわけですから、これもある種の「ながら」行動に入るでしょう。しかも、仕事の合間にとる休憩時間に身支度を整えるスタイルで、時間を節約しています。

起床と同時にデスクに向かい、「ちょっと疲れたあなぁ」と感じたら、洗面所へ行って歯を磨く、次に疲れたときに顔を洗う、さらにその次に疲れたときに洋服に着替える、というように、二時間おきくらいに休憩しながら身支度をして、夕方に完成するという感じです。私はどうも、休憩するために休憩する時間がもったいないのです。

このほか、私の「ながら」行動には、

・インターネットをチェックしながら、食事をとる
・手帳をチェックしながら、トイレで用を足す
・本を読みながら、風呂に入る
・英会話のテープを聞きながら、ジムでトレーニングをする

といったものもあります。

ここまで「ながら」行動を徹底すると、けっこうな時間がつくりだせます。「ボーッとしている時間が必要」という人もおられると思うので、すべての人に参考になるとは思いません。しかし、「ながら」行動は必ず、時間効率の向上に結びつくと認識しておくことは非常に大切です。これは「時間がない」状況から脱するためには、何かとオトクな仕事術なのです。

3 時間に投資する

昔から、「Time is money——時は金なり」と言われます。「時間は金銭と同様の価値があるから、むだに使わないで、よく励み努めるべきである」（三省堂刊行「故事・ことわざ・慣用句辞典より）という意味です。

私は「まったく、そのとおり」とうなずく一方で、この言葉を応用した考え方として、「ときには時間をお金で買うことも必要である」と考えています。

イヤな言い方ですが、ちょっと考えてみてください。現代人は誰しも、多かれ少なかれ、時間をお金で買っているのではないでしょうか。

移動時間を減らすために飛行機や新幹線を、情報収集時間を効率化するためにインターネットを、迅速なコミュニケーションをとるために電話やメールを、買い物に行く時間を節約するために通信販売を……という具合に、誰もがさまざまなシーンで「時間をお金で買っている」と思うのです。

私の場合は、その意識が少々、人より強いかもしれないというだけです。具体的にどんな場面で、私が「時間をお金で買うか」、言い換えれば「時間を増やすためにお金をつかうか」という例をいくつか紹介しよう。

・値段の高い、安いにかかわらず、消耗品はまとめ買いをする

非常に身近な例だと、石鹸やシャンプーがそうです。自分が常日頃愛用している商品は決まっているのだから、ケース買いしたほうが「買いに行く時間」を節約できます。

店までの往復時間が三十分だとすると、一個ずつ買っていた日には十個買うのに五時間を使うことになります。十個まとめて買えば三十分。定価で買ったとしても、まとめ買いのほうが時間をつくれる分、オトクです。

・列車や飛行機はアッパークラスのチケットを買う

お金はかかりますが、仕事に集中する環境が手に入ります。また、チケッティングの時も待ちませんし、たとえ待たされる場合でも場所が提供されます。

エコノミーの座席だと、書類やモバイルを広げて仕事をするスペースが不十分です。

ゆったりした座席と、雑音の少ない環境にお金を払ったほうが、時間の生産性が高まるのは自明の理です。

・本は、数行でも読みたい箇所があれば買う

「買おうか、どうしようか」と悩んだり、中身を吟味したりする時間をなくすためです。「数行なら、頭で覚えればいいじゃないか」と言われそうですが、たまたま見た数行に興味を掻き立てられたのだから、一冊買って読む価値はあると思います。

買わないでいたら後でほしくなり、その本を再度探すような時間のムダは避けるべきです。

話は大きくなりますが、時間コストを考えるという点では、事業のM&Aも時間をお金で買う行為だと言えます。

これらはほんの一例ですが、ムダ手間を省く観点から自分の行動を見直すと、お金で解決できることはけっこうあります。みなさん流に工夫してみてはいかがでしょう。

4 携帯電話の活用で時間を生み出す

私は現在、三台の携帯電話を持ち歩いています。これらを使い分ければ、時間効率をアップさせることができるからです。

私は、急ぎの案件については携帯電話のメールで受信することにしているのですが、携帯電話の欠点は、通話とメールの受送信が同時にできないことです。だから、一台は受信専用にします。これで送られてきたメールを見ながら、別の携帯電話で送信者へ電話をかけます。一台の携帯電話だと、この「見ながら」ができず、会話にムダが生じます。メールに書かれている内容を逐一覚えていられないために、「何だっけ？」を確認するというムダな作業が生じるのです。ましてや、返信メールを打っていると、もっと時間がかかります。

このほか、幹部との連絡・ミーティング用に、ＦＯＭＡを使っています。私は「現場の売り上げ数字はフェイス・トゥ・フェイスで確認する」主義なので、デジタルで流れてくるパラメーターをチェックするだけでは仕事として不十分だと考えています。

かと言って、幹部と顔を合わせるために、どちらかが移動するのは時間のムダです。だから、「顔が見える」FOMAを使って、フェイス・トゥ・フェイスのコミュニケーションをとるわけです。

FOMAは何かを購入するときの時間の節約にも使えます。誰かが店へ行き、FOMAにモノを映し出して「どれにしますか?」とやれば、その人がチラシなりを持ち帰って私の意見を聞いて、また店に出かけて購入する手間が省けるし、それだけ早い機会に欲しいモノが手に入ります。

さらに、車にはパソコンを二台、搭載しています。これらは絶えず、PHSでインターネットにつながっているので、車内でメールや株の取引等を行うことが可能です。

こんなふうに三台の携帯を所有したり、車に二台のパソコンを搭載したりするのは、通信費もバカにならないので「お金がもったいない」と言う人もいるかもしれません。でも、前述した通り、「ながら」仕事による時間の節約ができます。その〝浮いた時間〟を生産性の高い仕事に当てれば、それだけ投資対効果が高まるわけです。

「携帯の一台は仕事用、一台は家族用、一台は秘密の恋人用」なんて使い方はお金のムダ遣いだと思いますが、熊谷流に使う三台は、時間を増やすだけではなく、生産性の向上もともない、利益をも生み出すのです。

5 思考の集中を中断する要素をシャットアウトする

仕事の時間効率を下げる最大の原因は、思考の集中を妨げられることにあります。仕事に集中しているときに、電話がかかってきたり、訪問客があったり、部下が相談事に来たりすると、どうしても手を止めなくてはなりません。そうなると、再び仕事に取り組んだとき、前のテンションにもっていくのに、とても時間がかかります。

集中思考というのは、百メートルを全力疾走するのと似ています。百メートル走は、「ヨーイドン!」の合図とともに走り出し、しだいにスピードを上げて、最速タイムでゴールを駆け抜けます。しかし、もし十メートル走るごとに障害物があったとしたら、どうでしょう? 十メートル走って加速したスピードは、また十メートル走りなおさないと取り戻せません。

この理論が、仕事の処理スピードにも当てはまります。集中すれば一時間で終わる仕事が、ジャマが入ることで二~三時間もかかってしまうことが珍しくないのです。

さほど集中力を要さない仕事ならまぁよいとして、深慮熟考して結論を出すとか、アイデアを練り上げるといった「集中力勝負」の仕事に入るときは、あらかじめあらゆるジャマを排除しておくのが得策です。私は集中したい仕事があるとき、その前に、ほかの細々とした雑用や、人がからむ仕事をまとめて処理するようにしています。

細かい仕事をうっちゃって「集中力勝負」の仕事に入ると、どうも落ち着きません。「あれもこれも、早くやらなきゃ」という思いが頭から消えず、集中を妨げます。

それよりは、先に一気に細かい仕事を片づけてしまった方が、結果的にはその後の大きな仕事もスムーズに進みます。また、細かい仕事を片づけているとその分、仕事の処理能力にハズミがつくので、次の仕事における集中思考にも好影響を及ぼします。

また、細かい仕事をまとめて一気にやると、時間効率もアップします。たとえば、「六件の電話をかけなければならない」ようなとき、一件、二件と処理しているうちに、舌は滑らかになるし、頭の回転もスピードアップしてきます。

これを〝まばら時間〟でやっていると、ダイヤルするたびに「電話番号はどこだ?」「何の案件だったっけ?」と手帳をひっくり返す時間がかかるし、しゃべりのテンションもイマイチ思うように上がりません。

少し話が横道にそれますが、電話の相手が不在でコミュニケーションがとれない場合のうまい対処法をお教えしましょう。この場合は私が電話をかけ直す、あるいは相手から折り返してもらう時刻をこちらから指定するのですが、その際「七分後にかけ直します」、「四時十三分にお電話いただけますか」というように、中途半端な時刻を設定することをすすめます。モノの本によると、「時刻が中途半端なほうが、相手がこの時間でないといけない事情があるのだろうと察するので、時間を守ってくれる」そうです。あまり多用するとイヤミですが、私もときどき、実践しています。

話をもとに戻しましょう。こんなふうにダーッと細かい仕事を片付けたら、あとは秘書さんに「今から二時間、よほど緊急な案件以外はご遠慮いただいて」などとお願いするだけ。

秘書さんもいないし、個室もないという人だって、ジャマをシャットアウトする環境をつくることはできます。集中タイムを日々取り入れ、周囲の人に繰り返し趣旨を伝えれば、いずれ協力体制が整うものです。

それができなくても、電話が鳴らない、人も来ない早朝のオフィスを集中タイム用に使うとか、空いている会議室や静かな漫画喫茶に逃げ込むとか、工夫のしようはいろいろとあるではないですか。

時間をつくるには、個人の状況に応じた工夫が必要です。ここは知恵を絞るしかないところです。

6 整理整頓でモノ探しの時間を排除する

人はモノ探しに、膨大な時間を費やしているそうです。「平均的なサラリーマンで、その時間は年間百五十時間にも上る」というデータを、どこかで読んだことがあります。百五十時間と言えば、ほぼ一カ月分の労働時間に相当します。これほどのムダがあるでしょうか。

モノ探しという行動一つをとってみると、「一時間探したけど、見つからない」なんてことは別にして、たいていは五〜十分とか、本当にわずかな時間でしょう。「塵も積もれば山」とはよく言ったもので、回数が重なればものすごい時間になります。

翻って考えると、探し物をする時間をなくせば、年間百五十時間の労働時間を得られることになります。これはかなり、節約しがいのある時間です。

では、なぜモノはよく、どこかへ消えてしまうのか。理由は明快。モノをしまうときに、きちんと整理整頓しておかないからです。

これができない人は、「整理整頓なんかに時間をかけられない」と言うかもしれませんが、探す時間に比べたら大した時間ではないはずです。というより、モノをあるべき場所にしまう習慣があれば、とくに整理整頓に時間を割かなくてもＯＫなのです。

私はモノを探すのが大嫌いなので、どこもかしこもかなり整理整頓されています。オフィスのデスクの上には、書類関係では今取り組んでいる仕事に必要なものと未決箱以外、ほとんど何もありません。あとは定位置に電話とパソコンと手帳があるだけ。パソコンを右側、電話を左側、手帳を右手の手元に置くと決めています。

この位置だと、左手で受話器をとって電話をしているときでも、パソコンを操作したり手帳にメモしたりすることができます。左にパソコンがあると、右手で電話をとることになり、「ながら」行動が不可能になる分、時間のムダ遣いになります。

もちろん、書類や資料、過去の手帳のファイル、事務用品等、どこに何があるかがすべて、わかっています。しまう場所を決めているから、「どこだっけ？」と忘れることはめったにありません。「キャビネットのあそこになければ、そのモノ自体が存在しない」と言い切れるくらいの自信があります。

オフィスだけではなく、自宅でも何も探さずにすむように、クローゼットや本棚、ＣＤラック等、すべてが整頓されています。クローゼットの洋服は、手前に下着を置いて、シャツ、スラックス、靴下、ネクタイ、上着というように、着やすい順番に収納してあります。洗濯したものは順番に着たいから奥に入れて、ハンカチやティッシュ、時計などの小物は一つにまとめてあります。

これはつまり、必要最小限の体の動きで身支度できるシステムなのです。引き出しを何度も開け閉めしたり、「時計はどこへ置いたっけ？」と部屋じゅうを探し回ったりする手間と時間を、こうして省いているのです。

もっと言えば、私は服のコーディネートを考える時間ももったいないと思うので、「この組み合わせがベスト」というコーディネートを一度決めたらポラロイド写真で記録し、クローゼットに貼っておくようにしています。そうすれば、「このスーツにこのシャツは合わないなぁ。どうもネクタイがしっくりこないなぁ」などと悩み、何度も着替えをすることもなくなります。

こんなふうにモノを整理整頓し、自分が使いやすいシステムを作っておくと、モノ探しの時間はかなり減ります。「0時間」にすることも不可能ではありません。

百五十時間のムダをこれからも繰り返すよりは、一日がかりの仕事になったとしても、今すぐ整理整頓したほうが賢明だと私は思いますが、いかがでしょうか。

7 話はいきなり本題から入る

社外や目上の人は別にして、私は「拝啓と前略を省略する」というコミュニケーションスタイルをとっています。これはある種、メール時代の文化とも言えるかもしれません。特にビジネスシーンでは「メールは挨拶抜き、用件だけを端的に伝える」のがマナーとされています。日常の仕事でしょっちゅうコミュニケーションをとる社内の人間なら「挨拶抜き」がむしろ、互いにとって礼儀なのではないかと考えています。

だから私は、トイレで社員に会っても、お辞儀する暇も与えずに「今日、いくらだ？」と、いきなり尋ねるほどです。社員の間では「オシッコが止まっちゃう」なんて言われているようですが、「元気かい？ 奥さんはどうしてる？」などと挨拶をして時間を使うより、成績をチェックしたほうがずっと、時間を有効に使えます。

また、ミーティングなどでも「みんな、揃ったかな。始めましょうか」の一言もなく、いきなり本題に入ります。社員に対しても、「結論ファースト」を求めます。目標を達成したかどうかを聞き、ズバリ数字を言わないと、話をさえぎって「だから、いくらなんだ？」と質問します。

だいたい、成績が悪いと人は言い訳をしたくなるものです。報告しづらい気持ちはわかるものの、時間のムダ遣いをしたくない私としては、「今日はいくらで、目標は未達。これこれこういう手を打ちます。社長のお考えは？」というふうに進めてもらいたいのです。そうすれば、私も「よし、それでいこう」とか「まだ、甘い。こういう手を打とう」などとポンポン指示できます。

仕事上のコミュニケーションは、時間をかければいいというものではありません。たとえば、アイデアが出なくて、あるいはまとまらなくて何時間も会議をするという例がよくありますが、それで仕事をしたような気になるからよろしくないのです。

みんなで一緒に悩むのではなく、個々のアイデアを持ち寄って、トップが速やかにベストな方向性を決定するのがコミュニケーションだと思います。

社内のコミュニケーションは、「本題オンリー」&「結論ファースト」で迅速に。それが、自分の時間も他人の時間もムダにしない、させないルールなのです。

もっとも、雑談やムダ話を一切するなと言っているわけではありません。人間関係の潤滑油として必要な場合もあるので、私自身、意識的にムダ話をする時間も持つようにしています。

8 メールの処理を合理化する

メールはいまや、ビジネスマンにとって欠かせないツールになりました。もちろん、私もメールを使っています。

メールは電話と違って、個人の都合を尊重できるのが大きなメリットです。互いに、不在でも連絡がとれるし、仕事のジャマをして迷惑をかけることもなくなります。

ただ、大きなデメリットがあります。近ごろは、何でもかんでもメールで連絡するのが風潮であるため、処理するのが大変なのです。ものすごい時間をとられます。

一度、計算してみたことがあるのですが、私の場合は一時間に読めるメールは、ただ読むだけなら七十通、YesかNoの意志決定を求められるなら二十通、考えて返信する必要があるのなら七～八通でした。私のパソコンには毎日五百～六百通、多いときは千通ほども送信されてくるので、いちいち読んで返事を書いていると、メール処理だけで六～七時間の時間がとられることになります。

これは憂慮すべき事態です。ほかの重要な仕事が何も手につかなくなりそうだと思いました。計算して改めて時間のムダを実感した私は、それ以来メールの処理を、基本的には自分でやって、できない時は秘書さんにお願いするというかたちで、並行して処理しています。

パソコンで読まずにプリントアウトしてもらい、それを見ながらボイスバーに返信文を録音し、秘書さんに返信メールの代行をお願いしています。込み入った案件に限り、自分で打ったり、電話で直接話したりしていますが、これでかなりの時間が節約できました。メールの処理時間は、以前の四分の一くらいにまで減ったのです。

おそらくみなさんも、メール処理という仕事に相当な時間を費やしておられるのではないでしょうか。特に休み明けにパソコンを開くと、ウンザリするくらいのメールが届いていて、その処理だけで一日を費やした、なんて経験もお持ちだと推察します。

やっかいなのは、メールを打っていると、それだけで仕事をしている気分になれることです。また、メールを送った時点で仕事をやり終えたような気になるのもまずいと思います。実際は、そのメールを相手が読んでいない場合もあれば、こちらの意図が的確に伝わらずに物事が進展しないこともあるのですから。

しかも、メールだと相手と会話ができないため、受信、送信、受信、送信を何度も繰り返すケースが多いものです。

ひどい人になると、たとえば「打ち合わせ日時はいつにしますか?」↓「私は基本的にいつでもOKです」↓「では、来週水曜日の午後二時にしましょうか」↓「すみません。ついさっき、水曜午後一時のアポを入れてしまいました。夕方四時以降なら大丈夫です」↓「その時間は私がNGです。となると、その次の週しか時間が空きませんが、どうしましょう?」↓「翌々週のスケジュールはまだ、見えないんですよ」……というようなメールを延々と交わしていることもあると聞きます。

こんな調子では、電話で交信すればたった二〜三分ですむことに、二〜三日の時間がかかってしまいます。メールを送っている時間に打ち合わせが終了しそうです。

こういう愚を犯さないためにも、メールの処理は合理化する必要があるでしょう。

もちろん、メールの処理を代行してくれる人がいるとは限らないので、熊谷流処理はムリとしても、電話ですむ返事は基本的に電話ですますことをすすめます。たったそれだけのことで、ずいぶんと時間が効率化できるはずです。

メール一つとってもわかるように、日本ではまだ、ITのメリットをフルに活用して、効率よく仕事を進めるレベルには至っていないように思います。ITは本当に便利な情報&コミュニケーションツールなのですが、使い方を誤ると、デメリットばかりを享受することになりかねません。

9

休むときは、一生懸命休み、遊ぶ

時間の節約術だけクローズアップすると、何だか私が片時の休みもなく行動しているようで、「息が詰まる」と感じられるかもしれません。でも、ご安心を。私は休むときには、一生懸命に休んでいます。

でないと、「健康」や「家族」の夢を実現するための時間がもてなくなってしまいます。休むこともまた、行動計画のうちなのです。

……ということを言うと、またまた「何も考えずに休みたい」と言われそうですが、これは私の性分だからしょうがないのです。目的がなければ、休んだり、遊んだりしていても、私はちっともおもしろくないのです。

たぶん、みなさんも意識していないだけで、私と同じなのではないかとご推察します。たとえば、ただの怠け心から仕事を休み、日がな一日、ボーッと過ごしたとしたらどうでしょう?　予想していたほど、くつろげないと思います。

しかし、しゃにむに仕事をして「一段落ついた。あこがれの〝ボーッとした時間〟

に突入だ。心身の元気を維持するには、これが欠かせない」という気持ちをもって休みに入ると、非常に爽快な気分になるはずです。

ある男性が、

「暇をもて余していたからハワイに行ったけど、砂浜で寝そべっていただけ。何だかむなしくなった。前に、飛行機に乗るギリギリまで仕事をしてハワイに飛んだときは、ノリノリでいろんなマリンスポーツにトライしたし、ただ浜でゴロンとしているだけで幸せと感じたのに。きっと、同じ休むにしても仕事が充実していると、リフレッシュして次に向かうエネルギーを補填するぞっていう気合が入るんでしょう。エネルギッシュに毎日を送ってないと、休みまで色褪せるということでしょうか」

と言っていましたが、まさにそのとおり。ようするに、メリハリの問題なのです。

私も日ごろ、仕事だけではなく休みも充実して過ごすことを心がけているから、一生懸命休み、遊ぶことができるのでしょう。また、時間を切り詰めて仕事に精を出しているから、休む時間を捻出できる部分もあります。

休みの時間を確保し、仕事とは一味違う充実感をもって過ごすことができる能力もまた、できるビジネスマンに不可欠だと思います。

もっとも、私は「仕事が趣味」と言ってはばからない男なので、休暇は盆暮れだけ。

ウィークデーの夜も週末も仕事をしています。

オフと言えば、週末の夜の数時間のみ。このひとときばかりは、仕事を終えてからジムで一時間ほどトレーニングをして、家族と食事をし、テレビや映画を見ながらワインを一本あけてヘロヘロになって眠るのがパターンです。これで、目標どおりに一週間の疲れはとれて、新しい一週間に向かう英気が養われます。

ちなみに私は、睡眠だけは必ずしっかりとるようにしています。会社を上場させる前は三時間程度プラス昼寝だけでしたが、今では必ず六時間以上は睡眠をとるようにしています。手帳にも「六～七・五時間は睡眠をとる」という目標があります。

頭を休めること、体を休めることも、当然大切なのです。

10 「ひらめき」は休息時に生まれる

一分たりともムダにしない勢いで仕事をする私ですが、もちろん休息はとります。疲れた頭に鞭打っても能率が下がるだけ。一定の〝脳効率〟を維持するには、心身を集中から解放するリフレッシュタイムが必要です。

こういう休憩をとることは、非常に有効です。というのも、いいアイデアがひらめくのは決まって、休息をとっている時間だからです。

私の場合、休息時間はそのまま、トイレタイムに使われることが多いせいか、トイレでアイデアが生まれるケースが多々あります。あと、入浴中とか、睡眠をとって目覚めた直後というのもけっこうあります。とくに思考に集中していても煮詰まる一方で、なかなか結論が出ないようなとき、休むとたんにアイデアが飛び出してくるのです。

これは「たまたま」そうなのではありません。偶然はすべて必然であるように、休息時にひらめきを得ることにも理由はあります。考えられる理由は二つです。

一つは、休憩している間に、それまでずっと頭の中をグルグル回っていた考えが、ひとりでに好き勝手な回路を動き始めて衝突し合い、その衝突から思いがけない結合が生まれるということです。ジグソーパズルの断片がきちっとはまるように。

この脳の中の不思議な動きについては、十九〜二十世紀に活躍したアンリ・ポアンカレというフランスの数学者が著書「科学と方法」の中で触れています。私はビジネス書で読んだのですが、それによると、ポアンカレは自身が数学上の大発見をしたときの経験を引きながら、次のような結論を導いたそうです。

「一つの定理を証明しようと、その研究に没頭していたが、いっこうに解法を思いつかない。疲れを解消しようと、ふだんは飲まないコーヒーを飲んで休息した。すると、頭の中でいくつもの考えが衝突し始め、そのうち二つの解法を思いついた。科学における独創は、異質の要素の思いがけない結合である。集中して思考する『意識的活動の時期』がなければ、実りの多いインスピレーションは生まれない」

私は科学者ではないけれど、仕事に没頭していると、休息の間に考えがひとりでに成熟するようなことを何度も経験しているので、この説には非常に納得できます。

思えば、アルキメデスは入浴しているときに浮力を解明しました。ベンジャミン・フランクリンはうたた寝の夢のなかで凧による雷の実験を思いつきました。ジェームス・ワットはゴルフをした後に蒸気機関の改良のインスピレーションを得ました。古今東西の偉大なる発明の多くが、休息中に生まれていることも偶然ではないわけです。

もう一つの理由は、休息のときに何となく、手帳のページをめくっていることです。手帳は私を原点に立ち返らせてくれるものなので、書かれた文字を見ると頭が整理されます。夢を再認識することで、正しい方向性が見えてくるのだと思います。

休息時に手帳を手元に置いておくことはまた、ひらめいたアイデアをその場でメモするうえでも便利です。「せっかくいい考えが浮かんだのに、三歩歩いたら忘れた」といった事態を防げます。

私は経験的に、アイデアがトイレや風呂、寝床で生まれることを知っているので、休息時だって手帳を手放すことはありません。手帳を持ってトイレにこもり、脱衣所に手帳を置いて風呂に入り、枕元に手帳を置いて眠りにつきます。

仕事をしていて、何かの「ひらめき」を得たときほど、嬉しい瞬間はありません。たゆまぬ集中思考とつかの間の休息、そして手帳が、この喜びをつくりだしてくれるのです。

私の経営&マネジメントの極意

人と会社を成長させる十六のポイント

1

経営者にとって、売り上げや利益よりも大切なもの

本書は、私が手帳のすばらしさを伝えたいと思って上梓したものです。でも中にはこういう方もいらっしゃるでしょう。「私は経営者・熊谷正寿の本だと思って、この本を買ったんだ。人生や夢のこともいいけど、少しは経営者としての話もしろ」。おっしゃるとおり。私は、手帳の信者・伝道師と自負していますが、仕事術の講師でも、人生相談の回答者でもありません。本業は会社の経営者なのです。

ですので、最後のこの章では、私が自分の会社で実践しているマネジメントや組織論について、簡単にご紹介したいと思います。といっても、難しい経営論を展開するわけではありません。基本的な、大切な話だけを、かいつまんでご紹介します。

最初に強調しておきたいことがあります。それは「会社には、売り上げや利益よりも重要なものがある」ということです。もちろん、売り上げや利益の向上を抜きにして会社経営を語ることはできません。しかし私は、売り上げや利益は「会社を存続させるための手段」と考えていて、決して「会社を経営する目的」とは考えていません。

では、私が会社を経営する目的とは何か。それは、「インターネットの楽しさ・便利さ・感動を、より多くの人々に伝えること」なのです。

十年ほど前、初めてインターネットに出会った私は、大きな衝撃を受けました。口をついて出てくるのはただ、「すごい!」の言葉だけ。マウスやキーボードを操作しながら、次々と繰り出される画面に目を見張り、何度「すごい!」と絶句したかわかりません。この感動を人々に伝えたい。これが私の事業の出発点なのです。

そして私が最初に取り組んだのは、プロバイダ事業でした。事業を始めると加入者が鰻昇りに増えていきました。それはすなわち、私と感動を共有する人々が増えた証でしたので、これ以上の喜びはありませんでした。営業数字の上昇は、そんな喜びが数値化されたものに過ぎないのです。

その後、プロバイダ事業は過当競争が予測されたことから、私は事業の核をいち早く、ドメイン・サーバー事業に移しました。この事業もまた、インターネットのすばらしさを一人でも多くの人に伝えたいという思いから始めました。

インターネットには、さまざまなサイトがあります。暮らしに役立つ情報サイト、多岐にわたる専門知識のサイト、あらゆる分野で趣味にはまった人たちが作るマニアックなサイト、フリーマーケットのように機能するオークションのサイト、知らない人とのコミュニケーションが楽しめるサイト。それはもう、街の賑わいを映すようです。ドメイン・サーバー事業とは、これらさまざまなインターネット上のサイトをおあずかりするビジネスなのです。

私は、商店や飲食店、娯楽施設、教養センターなどが雑多に集まる街の賑わいを愛しています。オフィスビルが整然と並ぶ、ただきれいなだけの街より、ビルもあれば傾いた建物もある、小さな店が軒を連ねる小路もある、そんなさまざまな建物がいっしょくたにある場所で、仕事や遊びや人情が息づいている街の賑わいが好きなのです。

インターネットはそういう街であるべきだと感じた私は、より多くの人が楽しさを求めて街に出かけるようにインターネットに接続し、存分に楽しさを味わって欲しいという気持ちを強くしたからこそ、インターネットの中を振やかにするビジネスであるドメイン・サーバー事業をはじめたのです。

このように、会社経営の一番大切な目的は、決して売り上げや利益ではなく、経営者の夢や感動を従業員や顧客、株主、取引先の人たちと共有することだと思うのです。

もし経営者が、自分の感動や夢を誰かと分かち合いたいという思いを持たずに、売り上げ数字だけを見て事業を展開していたらどうでしょう。従業員は働く喜びを見いだせずに、お給料のためにだけ働くことになって、少しでも時給の高い就職先へと平気で転職する会社になるでしょう。また、お客様も価格という物差しだけで商品を計るようになってしまい、ただ「より安い」商品を求めるようになるでしょう。会社の夢に共感して投資してくださる株主も然り。事業数字が上がらずに少しでも株価が下がれば、すぐに離れていくでしょう。

けれども、会社と従業員、会社と顧客、会社と株主、会社と取引先など、会社がすべてのステークホルダーとの間で「笑顔」と「感動」を共有する喜びを創出しようという強い思いを持って事業に取り組めば、互いがお金に変えられない感動を得られるでしょう。そうすることが、結果的に売り上げや利益につながるのです。

もし、あなたが結婚十年後に、妻に「どうして私と結婚しようと思った?」と聞いてみて、「お金を持っていたからよ」という答えが返ってきたとしたら、悲しくないですか? そういう結婚は「金の切れ目が縁の切れ目」となるでしょう。でも、「同じ夢に向かって、ともに生きていきたい」という理由で結婚したのなら、その夫婦はどんな困難に遭遇しても、ともに手を携えて進んでいけます。

経営者も、事業に関わるすべての人と、ともに夢を実現したいと思ってもらえる思想を持たなくては、いずれ不幸な結末を迎えると、私は考えています。以下でご紹介する私のマネジメント手法の根っこには、この思いがあることを忘れないでください。

2 社員が「自ら動くような仕組み」を作る

経営者の役割の一つは、社員が「自ら動くような仕組み」を作ることにあります。「指示待ち社員」という言葉が流行ったのはいつごろだったでしょうか。近年になってしばしば、「上司が指示しないと、何をしたらいいのかわからない若手社員が増えている」という声を耳にするようになりました。

こういう指示待ち社員を嘆く気持ちはわかりますが、経営者としては、どうすれば自ら動くようにできるかを考え、そのための仕組みを作る工夫をすることが先決です。仕組みがうまく機能すれば、指示待ち社員も自然と自発的に行動するようになります。

よく「トップ自らが率先して動く」という話を聞きます。会社経営者としての地位に安穏としているのではなく、自ら先陣を切って動くことは、確かに経営者の当然の心がけです。ただし、どう動くかが問題です。

実は私は、現場をあまり回りません。今、ＧＭＯグループは年間百六十億円近い売り上げをあげていますが、このすべてを現場が自らあげています。私がしたことは、最初に事業の方向性を考え、やるべき仕事・そうでない仕事を決定したことです。

戦国時代にたとえて考えてみましょう。群雄割拠する武将たちが、自分の領土拡大を目論んで戦を繰り返しているとします。この時、総大将の仕事は何でしょうか。自ら馬に乗って、刀を振り回して突撃すればいい、というわけではないでしょう。「天下統一に欠かせない都市はどこだろうか?」「できるだけ損害を出さずに戦う方法はないだろうか?」「どの武将と手を組めば有利に展開できるだろうか?」「国力を富ますにはどうすればいいだろうか?」といったことを考えるのが総大将の役目ではないでしょうか。自分が戦うゲームの全体像を俯瞰して、その構造を明確に理解したうえで、打つべき手を見いだし、これをやれ、あれをやれと指示をする。これが、総大将、つまり経営者の仕事ではないでしょうか。

あとは、社員に任せてしまうのです。その時に必要なのが、社員が自分で動くような仕組みです。社長が自ら動くことも大事ですが、それよりも何よりも大事なのは、この「社員が自ら動くような仕組み」を作ることです。

この仕組みは、数字による管理を徹底し、フェアでオープンな競争原理によってやる気・闘争心に火をつけることで実現することができます。

3　若くても、情熱とやる気があればマネジメントはできる

最近は若い起業家も増えてきましたが、まだまだ「いくら才能があっても、会社や店舗の経営なんて、それなりの年齢じゃないとできないさ」と思っている人もいるようです。そんなことはありません、やる気さえあれば十代でも一端の経営者になれます。

私の父は終戦後、新宿の伊勢丹裏でお汁粉屋を始め、そこからパチンコ店、飲食店、映画館、貸ビル、ディスコと、次々と事業を拡大した実業家です。

ある日の夜、その父が母に「長野のパチンコ店の店長が突然、辞めたいと言うんだ」と話しているのを耳にしました。父は長野で開業したパチンコ店を経営していましたが、どうやら経営が左前で、店長が途中で辞めると言い出したそうなのです。

隣室でその話を洩れ聞いた私はいきなり、襖を開けてこう言い放ちました。

「僕が長野に行って、その店を立て直す」

当時私は、十八歳でした。「いつか自分で会社を興したい」という漠然とした夢を抱

いて、商売のネタを探してはいたものの、当時はまだ、今でいうフリーターのようなもので、ディスコのDJなど、さまざまなアルバイトを渡り歩く「浮き草暮らし」でした。今にして思えば、その私がなんとも傲慢な台詞を吐いたものだと、あきれてしまいます。しかし、父はそんな私に事業を託しました。

こうして私は、十八歳にして、二十~四十代の店員を三十人も抱える、敷地千二百坪という大型パチンコ店の経営に乗り出したのです。この時は、自分で打てる限りの手をすべて打ちました。掃除などの雑用から、釘の調整まで自分で手がけ、景品をグレードアップし、従業員教育も一からやり直しました。

その甲斐あって店には、みるみるうちに客足が戻り、私はわずか一年で、十三~十四店舗がひしめく地域のビリだった店を一番店へとのし上げることに成功しました。

それにしても、よくぞ従業員が十八歳の若造についてきてくれたものです。四十歳になった今になって、「ある日突然、私のところに十八歳の青年がやって来て、あれこれと指図したら……」と考えると、ゾッとします。でも結局は、商売に賭ける私の情熱が、当時の従業員の反発を懐柔したのではないかと思います。

一軒のパチンコ店の経営を立て直すことができたという経験は、マネジメントに目覚めるきっかけとなりました。弱冠十八歳にして手にした、大きな成功体験でした。

4 「見通し管理」で数字をいち早くキャッチ

業績向上を目指して、「目標管理」を導入している企業は多いと思います。私どもGMOグループも目標の達成を評価基準に置いていますが、他社と違うのは数字を「見通し管理」している点です。これは、月初めに目標を定め、その目標を達成できそうか否か、その見通し数字を毎日確認する方式です。

たとえば獲得顧客数の五月の目標が千件だとします。逆算すると一日の目標は五十件ですが、一日目に実績が五十五件上がったとします。そうしたらプラス五件の成果を「おめでとう」とみんなで喜びます。と同時に、一カ月の見通し数値を一千百件と出します。これを日々、繰り返し、毎日の実績に基づいて見通しを出していくのです。

このスタイルでいくと、見通しがいい場合は目標数値が上がる分、どんどんイケイケになります。逆に悪いと早いうちにどんどん手を打てます。私以下管理職はみな、この見通しの数字を見て、社員に対する誉め・叱りを行っているのです。

通常の企業はたぶん、毎月の数字を翌月に確認して、社員を叱咤激励しているのではないでしょうか。この方式だと、とくに業績が悪い場合に大きな問題が生じます。「先月は散々な成績じゃないか。今月はこの点を改善しろ」といった指示に遅れが出るのです。改善結果を反映させるのに、少なく見積もって二〜三カ月はかかるでしょう。また、業績がよくても大きな伸びは期待できません。目標をクリアしたことで気持ちがたるんでしまうからです。

その点、「見通し管理」をやっていると、日々の数字に敏感に対応できますし、月の半ばにはもう、「今月の数字」をかなり正確に把握することも可能です。しかも、過去の数字はどんなにがんばっても決して上がりませんが、近未来の数字ならがんばればマイナスをプラスに転じることができるではありませんか。

そもそも私は、数字は一日に何度もチェックするものだと思っています。月に一度のチェックでは「先月はダメだったから、今月はがんばる」となって、目標の達成に向けての努力が後手後手に回ります。でも一日に三回チェックすれば「午前十一時の時点でダメだが、午後三時までに成果を出す」くらいのがんばりが期待でき、それだけ成果もあがります。したがって、業績伸張のスピードがぐんとアップするわけです。

目標設定と「見通し管理」で数字をいち早くつかむ。それが業績を上昇の波に乗せる最大のポイントだと、私は確信しています。

5 意思決定の基準は「笑顔」と「感動」

言うまでもなく、会社の舵取りをするのは社長です。ともに仕事に取り組む社員をはじめ、事業に惜しみない協力を提供してくださる株主や、顧客の幸せのカギを握るキーパースンでもあります。

ということは、社長たる者の意思決定はすべからく、彼らの「笑顔」と「感動」を得られるかどうかになければなりません。ここを明確にするだけで、社員の行動は違ってきます。仕事に取り組むときに、社長だけではなく誰もが、

「この仕事を通して自分は幸せになれるか。顧客の満足が得られるか。取引先は我々とともに仕事をすることに喜びを感じることができるか。業績向上に結びつき、それが結果的に株価にいい影響を与え、株主の期待に応えることは可能か」

という視点を持つようになるからです。

こういう視点があるのとないのとでは、行動の結果は自ずと変わってきます。欲だけで動いたり、目先の利益にとらわれて方向性を誤ったりすることがなくなるのです。

と同時に、自分の仕事に対して誇りを持つことができます。

もし、あなたが「笑顔」と「感動」という行動基準を忘れた経営者の下で働いていたとしても、この考え方を実践することは重要です。自分が変われば、周囲も変わる——最終的なゴールをみんなの「笑顔」と「感動」に置いた仕事ぶりは、いずれ周囲に浸透し、組織の体質改善に少なからぬ影響を与えると思います。

私自身、これまであらゆる意思決定を「笑顔」と「感動」を価値基準にして行ってきました。たとえばインターネット事業を社の〝生業〟としたのも、「笑顔」と「感動」のためです。「社会や人々の幸せに貢献できるか？」という視点でインターネット事業を考え「できる。インターネットはこれから、水道や電気、ガスと同じように人々の生活に欠かせないライフラインになる。その分野で新しい文化と産業を創造することは非常に意義がある」という答えを導き、自分自身にゴーサインを出したのです。

本書に書いてある私の経営論は、少し厳しすぎると思われるかもしれませんが、その根底にはみんなの「笑顔」と「感動」を求める気持ちがあることをご承知おきください。どこまでも「勝ち」にこだわるのも、信賞必罰をモットーに社員を数字でギュウギュウ締め付けるのも、すべては世の中の人々、従業員、取引先、株主、そして私自身の「笑顔」と「感動」のためなのです。

6 商いは飽きない

事業の選択には、「笑顔」と「感動」のほかにもう一つの重要な視点があります。それは、自分自身が「飽きずにできるか？」ということです。

人は飽きっぽいものです。私もその例に洩れず、とても「粘り強い」性格だとは言えませんし、一つのことを飽きずに継続して取り組む能力に恵まれているわけでもありません。しかし、一つの事業に取り組む以上は「継続力」が必要です。「もう、飽きた。やめた」となっては、みなさんから「笑顔」と「感動」を奪うことになります。

ただ、いかに飽きっぽい人にも「飽きずに続けられる」ものがあります。それは、自分が好きなことです。これなら何年、何十年と取り組んでいてもいっこうに飽きません。探究心ややりがいを刺激する夢のあることなら、たとえ「一生を賭してもゴールにたどり着けない」とわかっていても、飽きずに努力を続けられます。私は、そういう事業を選ばなければいけないと考えます。

これは父の教えでもあります。父は「商いは飽きない」というオヤジギャグのような言葉で、「商売はあきらめずに、気長に辛抱して継続するものだ。継続できる人が最後は成功する」と教えてくれました。

手帳に書いたこの文字を見つめながら私は、インターネット事業は「飽きない商い」だと結論づけました。自分自身がインターネットには惚れこんでいるし、「すべての人にインターネット」という目標に向けて、やりたいこと、やれることがたくさんあると思ったからです。

これは「仕事選び」にも通じるものかもしれません。すべての人が「好き」なことを仕事にするのは不可能にしても、現在取り組んでいる仕事のどこかに、「飽きない」テーマを見つけることはできます。仕事というのは、「ここを究めよう」と意欲的になれるテーマがあったほうがずっと、楽しいものなのです。

7 一番になれないことは、最初からやらない

私は二十代のころから常に、ナンバーワンを目指してきました。「人一倍負けず嫌いで、どうしても勝たなければ気がすまない」性格というのもありますが、事業を立ち上げた以上は勝たなければ「笑顔」と「感動」、つまり幸せは得られないからです。私自身だけではなく、私の事業に関わるすべての人の幸せをもフイにしてしまう権利は私にはありません。だから、「勝ち」にこだわるのです。

そんな私が「勝つための基本方針」として掲げるのは、

一、一番になれないことは、最初からやらないこと
二、戦わずして勝つこと
三、勝ち癖をつけること

の三項目です。第一の項目については、一見すると、チャレンジ精神に欠けるによ

うに思われるかもしれません。でもこれは、何も調べずに頭から「一番になれない」と決めて逃げ出すことでもなければ、先が読めないからと臆病風を吹かして怖気づくことでもありません。慎重に将来性をチェックしたうえで、先に進むということです。

ある上場企業経営者が「よい話ほど、すぐに乗らない」とおっしゃっていましたが、私もまったく同感です。よい話に飛びつくと、人に先を越されまいと焦る分、判断力が鈍ります。相撲の勇み足のようなもので、勢いで飛び出したはいいが、勝負を始めることすらできない場合もままあります。

私はどんなによい話が飛び込んできても一呼吸おいて、前述した「新規事業チェックリスト」などをもとにじっくりと検討し、「よし、一番になれる!」と気持ちが鼓舞されたところで、事業の準備を始動させるようにしています。

このプロセスを経てはじめて、「一番になる」夢に具体性がともなうと言えるでしょう。結果、一番になれないこともあると思いますが、それは後で状況を見ながら考えていくべき問題です。最初から「一番なんてなれっこないよ」というスタンスで事業を始めても「勝ち」は覚束ないので、「一番になる」と確信できるだけの根拠を固めるということです。実際に勝つかどうかではなく、「一番になる!」という気合を高めることが、一番重要なのです。

8

戦わずして勝つ。勝ち癖をつける。

第二の「戦わずして勝つ」とは、言い換えれば「どこと戦っても圧勝するだけの実力を築き上げる」ということです。相手に「戦っても勝ち目はないな」と思われれば、「戦わずして勝つ」ことができます。

私は、戦って勝つのは下策だと考えています。なぜなら、戦いが熾烈になるほど、人・モノ・金を消費する愚を犯してしまうからです。

国と国の戦争が起こると、市民は不幸になり、兵士は疲弊し、国は貧乏になるのと同じです。一部にトクする人も出てきたとしても、多くの不幸の上に築かれた幸せで、みんなが「笑顔」になれるとは思えません。

企業間の戦いで、一番「勝ち」が難しいのは、互角の相手と戦い続けることです。「勝ち」にこだわるあまり、価格競争が激しくなり、双方が痛み分けというカタチになることが多いのです。

そうなると社員は「働けど、働けど、なお我が暮らし楽にならず。じっと給料明細を見る」という啄木的心境に陥って不幸になりますし、会社も利益が出ずに苦しみます。モノを安く購入できる消費者はちょっぴり幸せになるかもしれませんが、企業の薄利多売は国の税収に大きなダメージを与えるから、やがて経済の低迷にともなう生活のダメージを受けることになります。

その点、「圧倒的な一番」になれれば、平和が保たれます。ムダな競争をせずにすむ分、〝大怪我〟をする企業はどこもないし、顧客は少々高値でも質の高いサービスが受けられます。政府だって、安定した収入源を確保できます。もちろん、会社は業績向上により成長します。潤沢な資金を得て、それを従業員に還元したり、サービスの向上のための投資をしたりする余裕も出ます。みんなの幸せというゴールを見失わずに、事業に邁進できるのです。

もっとも、これは理想論で、「言うは易く、行うは難し」であることも事実です。私はこの「戦わずして勝つ」理想郷を得るために、「宝物が埋蔵されている無人島に一番乗りする」、つまり誰よりも早く新しい事業に着手し、同業者が増えてきたら「圧倒的差別化を図る」ことで他を寄せつけない力を発揮しようと努めています。

これは、私が実体験から学んだ教訓です。私は過去に自分で始めたプロバイダ事業を、自らの判断で縮小した経緯があります。これは圧倒的一番でなく〝なんちゃってナンバーワン〟だったからです。

しかし、一九九七年ごろに「次に手がけるべき商材」を探しに行ったシリコンバレーで見つけた、レンタルサーバー事業とドメイン登録事業は、まさに「無人島に一番乗り」して獲得した商材でした。

当時、レンタルサーバーは月額十万円以上と高額なうえ、利用するためには専門的な知識が必要なサービスが大半でした。他方、ドメイン登録も、初期費用に数万円～数十万円もかかり、ドメインの維持という名目で月に数万円も請求している事業者がほとんどでした。ともに、一般の方にはわかりにくいサービスでもありました。

私は「安価で簡単」をコンセプトにレンタルサーバーの開発を行い、サービスを始めました。値段を相場より劇的に下げ、ドメインについてはサーバーをご利用いただく場合には無料にするとともに、誰にでも簡単に独自ドメインのウェブサイトが持てるようにしました。

同業他社に勝つために、似たようなサービスで価格破壊を起こしたのではなく、技術革新による画期的サービスを適正価格で世に送り出す、というまだ誰も着手していない新しい事業に乗り出したのです。おかげさまでＧＭＯグループのレンタルサーバーは現在、十一万法人近くにご利用いただき、日本最大のレンタルサーバーの会社になることができました。

また一九九九年には、インターネットの管理団体であるＩＣＡＮＮより、日本では唯一の公式ドメイン名登録機関（レジストラ）に選出され、「お名前．ｃｏｍ」の名称で公式ドメイン登録事業をスタートさせることもできました。

この快挙は、「すべての人にインターネット」の思想の下、ＩＣＡＮＮが世界各地で会合を開くたびに当社役員をボランティアで派遣してきたという功績が認められてのことでしょう。ずいぶんと経費はかかりましたが、インターネットの普及に貢献できたと自負しています。

ともあれ、いずれの事業も、今のところ「圧倒的な一番」です。現時点で「戦わずして勝つ」状況を、いくつか作ることができました。もちろん、このポジションを維持していくためには、さらなる努力が必要であることは言うまでもありません。

また、「戦わずして勝つ」ためには、同業者の方と仲良くすることも必要です。人は互いの顔や人となりを理解し、認め合っていれば、相手に対する敵意が半減するものです。日ごろから情報交換をしたり、共通の夢を語り合ったりする時間を持っていれば、こちらが飛ぶ鳥を落とす勢いでビジネスを伸張させていても「叩き潰してやる！」と憎まれることもないでしょう。「ウチも負けずにがんばるぞ！」と発奮していただけると思います。

さて、第三の「勝ち癖をつける」ですが、これは近ごろよく言われているとおりのことです。会社に勝ち癖がつけば、社員はどんなにつらい状況でも辛抱する力がつきます。困難な状況にあっても、あきらめずに最後までやり抜く意地を見せてくれます。

これは、失敗と成功の関係と同じです。失敗したからとあきらめると、失敗が文字どおりの失敗に終わります。しかし、失敗を糧にがんばり続けると、その失敗が成功に結びつきます。ビジネスの「勝ち」も、勝つまでやるから「勝ち」になるのです。

GMOグループではメンバーはみな、「勝ち」を信じて仕事に取り組んでいます。これがものすごいパワーを発揮しているのです。

仕事の種類や内容にかかわらず、ビジネスマンなら「成功」という名の「勝ち」を目指すのが基本でしょう。

ただし、「出世競争で同僚の誰それに勝つ」とか「同業他社を出し抜いて受注争いに勝つ」といった思い込みはよろしくないと思います。時々は他人や他社を仮想敵にモチベーションを煽ることも必要ですが、いちばん大切なのは「私達がナンバーワンになる」「私達の会社がナンバーワンになる」という目標を持ち、誰もが一目置く実力の養成を心がけることです。

9 力は細部に宿る

ＧＭＯグループには、細かい行動のルールが数十個あります。たとえば、社員にはデスクの置き方や、パソコンの配置にも厳しいルールを課しています。応接室のテーブル位置も決まっています。全部床にマーキングがしてあるので、少しでもテーブルが定位置からずれると、すぐにわかります。もちろん、すぐに直させます。

一番わかりやすいのは、トイレでしょう。社員全員に、トイレを使用したら洗面台をふくことを徹底させているのです。トイレのきれいさには、自信があります。

こういった細かいルールを徹底させる理由は二つあります。一つは業務の効率化を考えてのことです。そしてもう一つは、足下に隙を出さない、ということです。細かいことにだらしない会社は、取引先や顧客につけこまれます。

組織力は、徹底力です。細部にわたる徹底した意識の共有は、結果として会社を一つにまとめ上げます。そのことが、競合他社に勝つための会社のスピードになるのだと思います。

10 優秀な人材を鼓舞してスターにする

人事・報酬に関して、私は「スター・システム」を導入しています。これはわかりやすく言えば、昇進も年俸もいわゆる能力主義を徹底し、「やればやっただけ、報いる」システムです。誰もが納得する評価基準を設けて実績と給与をオープンにし、スタープレイヤーが社員の目に見えるようにしているわけです。こうすると、社員の一人ひとりが「僕にもチャンスがある」とわかり、仕事へのモチベーションを高めます。

ゼネラル・エレクトリック社（GE）を世界最強の企業に育て上げ、「二十世紀最高の経営者」と賞賛されるジャック・ウェルチ氏の、こんな言葉があります。

「優れた人材には十分に報い、無能な人材は取り除いていく。思い切った差別化が本物のスターを育て、そうしたスターたちが素晴らしい仕事を生み出していく」

（日本経済新聞 二〇〇一年一〇月一一日朝刊『私の履歴書』）

ウエルチ氏は、システムが部下のやる気を最大限に引き出すという考えの持ち主ですが、そのとおりだと思います。日本では少し前まで、昇進も給与も「年功序列」で決まるのが一般でした。このシステムのせいで、どれだけの人が仕事のやる気を失ったことか。「がんばって仕事をしても、給料は決まった額しかもらえない。ベースアップもビビたる金額。ただ働きさせられているような気になる」「仕事が遅いヤツは残業代が儲かるから、仕事が速い僕より月収が多い。業績への貢献度は僕のほうが上なのに」といったグチを耳にしました。このシステムでは、企業の急成長は望めません。

その点、GMOグループの人事・報酬は明快です。なにしろ、評価の対象は数字——厳密に言えば目標数字を達成したか否かのみだからです。GMOグループにおいては「目標は達成できなかったが、努力は評価する」という発想はありません。数字を作れない原因は、努力が足りないか、努力の方向性が間違っているかのどちらかだからです。自分ではがんばったつもりでも、プロセスは評価以前の問題としています。

ドラスティックに過ぎると思う人もいるでしょうが、数字だけで判断したほうが査定としては公平です。上司の覚えが良くなるように妙な動きをする社員もいなくなるし、社員の間に妬みややっかみも生じにくくなります。

また役員の給与システムは、彼ら自身に決めさせました。私はお客様に「笑顔」と

「感動」を与えることができて、その結果として会社の利益が増えるなら、役員の報酬もドンドン上がって欲しいと考えています。だから私は「収入は基本的に上がる。努力して目標を達成した者が報われる。開示しても誰もがフェアだと思う」システムにするよう指示し、最終案に微調整を加えました。「自分たちで決めた以上、不満は言えない」というところがミソです。また、役員の任期は一年で、昇格・降格は目標達成で決まります。報酬は、目標を達成すると、翌年は黙っていても上がり、未達成だと自動的に下がります。これらの情報はすべて、全社員に開示されています。

こうすると、収入の多寡が数字で裏付けられていることが一目でわかるので、周囲は収入の多い人を優秀だと認めますし、それによって本人も自信を深めます。

一般社員については収入の開示は行っていませんが、月給は実績に応じて三カ月ごとに変わります。もちろん、「固定給＋能力給」ではなく、「百％能力給」です。さらに、アルバイトは月に一度の時給判定会議を行い、みんなで「○○さんは私より能力が低いから、時給を上げるなんてとんでもない」とか「××さんの仕事ぶりは立派。時給を二百円上げてもいいと思う」とか意見しながら、互いの時給を決めています。

ちなみに、私自身も社長の任期は一年です。会社の業績が落ち込めば、私も降格になるのです。経営者として「業績に責任を持つ」というのはそういうことなのです。

11 自然の法則から導き出した「五十五年計画」

私が二十歳の時に、自分の未来年表を「十五年」というタームで区切った理由は、実は、「B4の紙を横にして表を作ったとき、十五年分しか入らなかった」というのが正直なところです。今にして思うと、この十五年というのは、結果的にはなかなかいいタームだったと思います。

十五年後、私は再び自分の人生年表の作成に取りかかりました。今度は「五十五年計画」になりました。ここには、会社がどんなプロセスを経て、将来的に売り上げ十兆円の企業に成長していくかをすべて、数字で表現しています。売り上げや経常利益だけではなく、従業員数、グループ会社数、上場企業数等、細かい項目で数値目標を立てているのです。

五十五年という期間を設定した理由は二つあります。一つは、私が八十八歳まで精一杯仕事をすることを目標としている点。もう一つは、人間の生活と深く関わっている自然のサイクルに由来します。

太陽の活動は十一年周期で、その五回分、つまり五十五年が一つの大きなサイクルなのです。と同時に、太陽の黒点の推移は人間の行動に影響することから、私はそれに合わせて数値目標をはじき出しました。

実は「十五年の未来年表」を作ったとき、私は最下段に「未来予測」という項目を設けて、ここに新聞や雑誌に掲載された、各種調査機関の未来数字を記入していきました。たとえば、「〇年後に痴呆性老人が人口の〇％になる」という記事を見れば、それを年表に記入するわけです。これを継続すると、本当に未来のことがわかるようになります。

もう一つ、同じ欄に記入したのが「太陽黒点数」の予測データです。「太陽活動と景気」（嶋中雄二著、日本経済新聞社刊）という本を読み、「太陽活動が景気の長期変動に密接に関係する」ことに興味を持ったのです。そして、「五十五年計画は、太陽黒点から予測される経済動向を考慮しよう」と思ったわけです。

いささか予言者じみたふるまいながら、太陽黒点の数と経済動向は本当にピタリと波長が合っています。たとえば、太陽黒点がピークを迎えた一九九〇年にバブルの崩壊、次のピークの二〇〇一年にインターネットバブルの崩壊が起こっています。私がインターネットと出会った一九九五～九六年ごろはちょうど、太陽黒点がボトムにあり、経済が復活する兆しを見せていたのです。

私がこの「五十五年計画」を策定したのは、インターネットバブル崩壊以前の話ですが、その後の経済動向は太陽黒点から予測したとおり。私は密かに、

「太陽黒点の推移と経済動向が同調することが証明されたな。波長に合わせて、この年は積極期、この年は消極期と決めて予算の数字を作ったのは正解だったな」

とほくそえんでいます。

ただし、自然のサイクルを参考にはしていますが、目標数値を決め、達成するのは我々人間です。決して〝神頼み〟で仕事をしているわけではないので、誤解なさらないでください。

ちなみに「五十五年計画」をスタートさせて、すでに五年ほどが経過しているわけですが、今のところ順調に計画をトレースさせています。この調子でいけば、二〇〇九年までに売り上げ一千億円を達成するという夢のような目標もクリアできると、確信をいっそう深めています。

12 オープンな情報共有が社員の力をアップさせる

ＧＭＯグループは、オープンな会社であることをモットーにしています。ですから、誰もが自由に発言できる風土には自信があります。

ＩＴ企業ということもあって、とくにメールの意見交換は盛んですが、もちろんそれだけではありません。

たとえば、先ほどご紹介した「五十五年計画」。この「五十五年計画」は言うまでもなく、社員全員で共有すべきものです。よって私は、計画の内容を全スタッフにメールで送信しているだけでなく、「ＮＡＳＡシステム」と名付けた企業内ポータルにも同じ内容のものを置いています。

「ＮＡＳＡシステム」はいわば飛行機のコックピットのようなものです。ここをのぞくと、会社の情報がすべて閲覧できるサイトです。おそらく、ウェブベースでの社内ポータルという概念を立ち上げたのは、ＧＭＯグループが日本でいちばん早かったのではないかと思います。

さらに私は、毎年「五十五年計画」をベースに作成した「今年の重点目標」を、やはり全社員にメールで送っています。「今年はこれが目標だぞ」というゴールをより明確に示し、再認識させることが目的です。

「目標を繰り返し見て、現状との誤差を認識し、それを埋める努力をする」という熊谷流の行動を、私は社員にも徹底しているのです。

もちろん、情報の共有やオープンな意見交換は、メールとかインターネットだけでできるものではありません。それだけでは意見の吸い上げが十分ではないと考えていますので、定期的に部署単位のミーティングもやっています。この時、なるべく多くの社員と意見交換できるよう心がけています。

数字のチェックや部下の「誉め・叱り」は、デジタルよりもアナログのほうが絶対効果的です。私自身、可能な限りフェイス・トウ・フェイスで、それが無理ならば電話による音声でのやりとりを心がけています。

携帯電話でＦＯＭＡを使っているのも、そのためです。

13

社員のベクトルを一つにする

ＧＭＯグループには「スピリットベンチャー宣言」というものがあります。これは、一般企業の社是・社訓、あるいはビジョン＆ミッションに当たるもので、「夢」「ビジョン」「フィロソフィ」「マインド」の四項目から構成されています。

私は、企業が継続的に成長するためには、

①社員が社会生活の何に命を捧げるのかという意味での「夢」
②宝の山はどこにあるのか、何の事業で稼ぐのかという意味での「ビジョン」
③何のために存在するのかという意味での「フィロソフィ」

という三つの志と、基本的行動原理・原則となる「マインド」、そしてこれらを一言で社内外に知らしめるコーポレートキャッチ「すべての人にインターネット」を社員全員で共有することが非常に重要だと考えています。

「スピリットベンチャー宣言」には、これら三つの志が具体的に表現されているわけです。

なぜ、このような細かいルールを作ったか。それは、私が経営資源の中でも最も人を重視しており、全員のやる気と能力がフルに発揮される真の感動集団を目指しているからにほかなりません。

スタッフみんなが同じ夢を持ち、ベクトルを一つにして行動すれば、会社は「急成長」を実現できます。その成長に邁進した社員も、物心ともに充足感が得られます。どんな社員も、トップが明確なビジョンと、社員がとるべき行動の価値基準を示せば、やる気ががぜん違ってきます。会社の成長を自分の問題として捉えることができるようになるからです。そうすると、お客様の笑顔と感動が自分の笑顔と感動にむすびつき、この共通する基準で全社員が同じ方向に邁進できるのです。

これがないと、社員は何のために仕事をしているのか、何のために自分が存在しているのかがわからなくなり、仕事にマンネリ感を抱くようになります。会社の成長など、まるで他人事で、当然、生産性も上がりません。

トップが夢を語り、宝の山がどこにあるのかというビジョンを提示し、何のために存在するのかというフィロソフィを明確にし、全員が同じ方向を向いて邁進できるようマインドを共有する。ここをきちんとやれば組織がフルに機能し、社員はもてる力のすべて、いえ、それ以上のパワーを発揮します。

我がＧＭＯグループが急成長できたのも、またインターネットバブル崩壊を乗り越えて生き残れたのも、社内の人間がみんな、同じ夢を持って団結していたからで、その結束力に負うところが大きいと、私は思っています。

危機を迎えてつぶれる会社は、外からの風圧や強力なライバルに負けたと思われがちですが、実は最大の原因は内部の崩壊にあることが多いものです。社内が動揺して意思決定機能が麻痺したり、会社から逃げ出す人が出てきたりして、自ら崩れていくのです。

「スピリットベンチャー宣言」の下に力を発揮する土壌がなかったら、ＧＭＯグループも不幸な命運をたどったかもしれません。

14 ベンチャー企業とは何か?

私は、GMOグループという会社をベンチャー企業だと認識しています。ところで、このベンチャーという言葉の定義ですが、正しい解釈がまだ定まっていないと思います。あるいは、私が考えているベンチャーと、世間一般で思われているベンチャーの意味が違うかも知れないと思うことがあるので、ここで私が考える「ベンチャー企業とは何か?」を、ハッキリさせておこうと思います。

ベンチャー企業と聞くと、世間では、隙間産業を狙って何かユニークなことをする企業だと解釈する向きがあります。あるいは社長が若いとか、創業して間もない会社がベンチャー企業と思われています。IT産業がその代名詞だと捉えられているフシもあります。しかし、私はそうは思いません。ベンチャーとはズバリ、

「新しい技術やサービスをもって、新しい事業を作り出し、お客様に笑顔と感動をもたらす企業」

「既得権益でガチガチに固められ、お客様が不利益を享受している分野に、新しい技術やサービスをもちこみ、お客様に笑顔や感動をもたらす仕事をやっていこうとする企業」

と考えています。新しい技術で挑んだ例としては、ＮＴＴに対してＡＤＳＬの価格競争を挑み、日本のブロードバンド普及に大きく貢献したソフトバンクの孫正義社長がいます。また、新しいサービスで挑んだ例としては、旅行業界に格安航空券を持ち込み、日本人の旅行を格段とリーズナブルにしたＨＩＳの澤田秀雄社長がいます。こういったビジネスをやっていこうというのがベンチャービジネスであり、その結果、お客様の笑顔や感動に支えられて成長するのがベンチャー企業だと思います。

そして、ベンチャー企業が株式を上場するのであれば、単なる「成長」ではなく「急成長」を目指さなければウソだと考えます。ベンチャー企業が投資家から求められているのは急成長なのです。安定成長を求めるなら、わざわざ投資家がＧＭＯグループや他のベンチャー企業にリスクマネーを投じる意味は何もありません。

安定成長を求めるベンチャー企業は上場する資格がありません。ベンチャー企業は、上場したら年間数十％、分母が小さければ数百％の成長を目指すのがスジです。

15 すべての人に手帳を！

私は社員に対して、「社会生活の部分だけ、私とともに命を賭けて欲しい」と思っています。もちろん、百人いれば百様の人生観があることは承知しています。仕事とは関係のない夢を抱く人、健康第一に考えたい人、仕事以上に好きな趣味がある人、何よりも家族が大切な人……価値観は人それぞれです。

だから、「仕事第一主義になれ」とは言いませんし、「家族を幸せにするために仕事でがんばれ」なんて、毛ほども思っていません。

ただ仕事、言い換えれば社会生活の部分だけは「私とともに本気で楽しくゲームをしよう」「信賞必罰の組織の中で楽しいゲームをして、一緒に革命を起こそう」と言っています。なぜなら、仕事で目標を達成することは本来、独立した夢であるべきだからです。家庭や健康を犠牲にして成り立つ夢ではないからです。

この辺の感覚を間違えると、人は不幸になります。いずれ「仕事で夢は達成したが、振り返れば寂しい人生だった」とか「家族に縛られて、思うように仕事に打ち込めない。これでは何のための人生かわからない」といった気持ちに襲われるでしょう。

そうならないために、人生におけるあらゆる夢に同時並行で取り組む姿勢を持ち、一つひとつの夢について達成プロセスのプランを立てることが重要なのです。

私は手帳をそのツールとして使い、思いどおりの人生を歩んできましたし、これからも歩もうとしています。手帳がきわめて優秀なブレインであることは、言うまでもないところです。その経験から、私はスタッフ全員に手帳を持つことを奨励しています。「スピリットベンチャー宣言」の「マインド」の項目に「メモしよう」の一行を入れ、機会をみては私の肉声で手帳のすばらしさを伝えています。

それに、「持つならバイブルサイズ」と指定し、中身のリフィルを支給しているほか、当社の辞令や賞状等、配布書類はすべて、バインダーにパチンと止めて収納できる手帳サイズです。なかには大きなサイズのものもありますが、ちゃんと折り畳めます。

私がここまでやるのは、社員一人ひとりが仕事の夢はもちろん、健康、家庭、趣味、教養、スポーツ……すべての夢と真摯に向き合って欲しいと思う、ある種の〝親心〟でもあります。さすがに我が意を汲んでくれているのか、GMOグループのスタッフの手帳所持率は百％です。

16
手帳を片手に十兆円企業を目指す

二〇〇三年七月、私は四十歳になりました。現在、インターネットインフラ関連事業と広告メディア事業を展開するＧＭＯ株式会社の会長兼社長として、グループ十五社・総勢約八百名の社員及びアルバイトを率いています。

私がマルチメディア事業を目的とするボイスメディアという会社を立ち上げたのは一九九一年、二十八歳の時のことでした。その三年後にインターネットという巨大な可能性にチャンスを見いだし、社名をインターキューに改めてプロバイダ事業をスタートさせました。

そして三年八カ月を経た一九九九年八月、独立系インターネットベンチャーとして国内初の株式店頭上場を果たしたのです。

このとき、私は三十六歳と一カ月。二十一歳のときに「十五年の未来年表」として手帳に記した、

「三十五歳で会社を上場させる！」

という一行の夢を、一カ月遅れながら、現実のものとしました。

さらに公開後は、二〇〇〇年に子会社まぐクリックを設立して、当時の日本最短記録である三百六十四日でナスダックジャパン（現ヘラクレス）に上場させました。翌二〇〇一年春に社名を現在のGMOに変更しました。メディア事業に注力するとともに、M&Aを推し進めながら法人向けのサーバーのレンタル、ドメイン登録の代行、ネット広告の配信等、事業をどんどん拡大し、急成長を続けています。

二〇〇三年度の連結経営成績は、売り上げ百五十六億円、経常利益十九億四千六百万円を達成しました。二〇〇四年二月には、東証二部に上場することもできました。ここまでのところ、事業の成長は一九九八年に策定した「五十五年計画」どおり。手帳に書き出した成功への青写真を、ほぼ順調にトレースしています。

しかし、私の挑戦はまだまだこれからです。「五十五年計画」に、

「私が八十八歳を迎える二〇五一年、GMOをグループ会社二百二社、従業員二十万人、売り上げ十兆円、経常利益一兆円の会社にまで成長させる」

と記載しているように、私はとてつもなく大きな夢を描いているのです。

不遜だ、壮大に過ぎる夢だと笑う人もおられるかもしれませんが、私にとってこれは、決して絵空事の夢ではありません。実現可能な夢だと確信しています。

あの大ソニーだって、もともとはベンチャーだったではありませんか。井深大氏らが、日本橋の白木屋三階にあった、窓ガラスもない配電室を新しい仕事場として「東京通信研究所」の看板を掲げたのは五十八年前。その十三年後に社名をソニーとして新たな出発を図り、二〇〇〇年には連結売り上げ七兆五千億円の巨大グローバル企業へと成長したのです。

我がGMOが現在、ソニーより二～三年速いペースで店頭上場や事業拡大にともなう社名変更を実現していることを考え合わせると、あながち不可能なこととは思えません。

しかも私には、夢実現の精度を高めるツールとなる〝魔法の手帳〟があります。これまでも、手帳にメモしたことを淡々とこなす、言い換えれば手帳の文字をトレースするように行動してきた結果、その結果が夢の実現につながったのだと、私は実感しています。

本書をお読みいただいて、手帳は使いようによってすばらしい人生の指南役《ナビゲーター》となりうることが、ご理解いただけたと思います。皆様も、ぜひこのパワーを感じ取って、夢の実現に使っていただければと思います。

手帳を携えて、ともに夢をかなえましょう。

あとがきにかえて

本書の執筆にあたっては、多くの人のご協力をいただきました。この場を借りて、感謝したいと思います。

東京家具プラザの椎名茂社長。ありがとうございました。十数年前、椎名社長に「熊谷！　おまえ本をだせ！」と言われなかったら、そして具体的にイメージしやすいように本の絵を描いていただけなかったら、本書は実現しなかったかもしれません。椎名社長からいただいた言葉と絵は、いまも私の頭と手帳に大切にしまってあります。

ＧＭＯから卒業していった創業メンバーにも、お礼を言わせてください。みなさまと夢を共有できたこと、その夢を命がけで一緒に追いかけることができたことを、心から誇りに思い、感謝しています。また、本書の執筆をあたたかく見守ってくれた、社員をはじめとするスタッフや関係者の方々にも、厚くお礼を申しあげます。

そして、ここには書ききれなかった数多くの皆様、ならびにそのご家族の皆様、ＧＭＯグループのサービスをご利用いただいているお客様、株主の皆様。皆様の御支援があってこそ、私達はこうして活動を続けることができるのです。本当に、心から感謝しております。

最後に、愛想を尽かすことなく私の人生につきあってくれている家族へ。

いつもありがとう。

二〇〇四年春　渋谷の会議室にて

ＧＭＯインターネット株式会社　熊谷正寿

（旧ＧＭＯ・グローバルメディアオンライン株式会社）

【著者紹介】

熊谷　正寿（くまがい・まさとし）

◉――1963年、長野県生まれ。1991年、株式会社ボイスメディア（現・GMOインターネット）を設立、代表取締役就任。1995年、インターネット事業を開始。1999年に「独立系インターネットベンチャー」として国内初の株式上場。現在は、東証一部上場のGMOインターネットを中心に、上場企業10社を含む100社超のグループ企業、約6,000名のパートナー（従業員）を率いる（2020年９月末現在）。「すべての人にインターネット」を合言葉に、インターネットインフラ事業、インターネット広告・メディア事業、インターネット金融事業、暗号資産事業を展開。2018年７月にはネット銀行事業も開始した。

◉――主な受賞歴に、日経ベンチャー「99年ベンチャーオブザイヤー」（新規公開部門２位）受賞（2000年）、米国ニューズウィーク社「Super CEOs（世界の革新的な経営者10人）」（2005年）、経済誌「経済界」による第38回「経済界大賞　優秀経営者賞」（2013年）、経済誌「財界」による第58回「財界賞・経営者賞」（2016年）、経営誌「企業家倶楽部」による第19回「企業家大賞」（2017年）などがある。

◉――仕事のみならず、健康、精神、教養、プライベート分野でも手帳に書いた夢を次々と実現。陸に関しては、中型自動車第一種運転免許と大型自動二輪車免許、海に関しては、１級小型船舶操縦士免許とPADIのレスキュー・ダイバー資格、空に関しては55歳でヘリコプターの自家用パイロット免許を取得。現在はプライベートジェットを自ら操縦するために、飛行機のパイロット免許の取得にチャレンジしている。

一冊《いっさつ》の手帳《てちょう》で夢《ゆめ》は必《かなら》ずかなう　〈検印廃止〉

2004年３月22日　第１刷発行
2020年12月７日　第30刷発行

著　者――熊谷　正寿©
発行者――齊藤　龍男
発行所――株式会社かんき出版
東京都千代田区麴町4-1-4 西脇ビル　〒102-0083
電話　営業部：03(3262)8011㈹
編集部：03(3262)8012㈹
FAX　03(3234)4421　振替　00100-2-62304
https://www.kanki-pub.co.jp/

印刷所――ベクトル印刷株式会社

ISBN978-4-7612-6143-6 C0034